D1262389

cahiers libres/essais

DES MÊMES AUTEURS

Les Champs du départ. Une France rurale sans paysans ?, La Découverte, 1989.

DE PIERRE BITOUN

Les Hommes d'Uriage, La Découverte, 1988.

Pierre Alphandéry, Pierre Bitoun
et Yves Dupont

L'équivoque écologique

ÉDITIONS LA DÉCOUVERTE
1, place Paul-Painlevé
Paris V^e
1991

Nous tenons à remercier le ministère de l'Environnement (SRETIE) qui, par son aide, nous a permis de réaliser ce travail dont le contenu n'engage, au demeurant, que ses auteurs.

Nous adressons nos plus vifs remerciements à Guy Béney, Alain Caillé, Chantal Gaïa, Fanchita Gonzalez-Batlle, Martine Rèmond-Gouilloud, Marie-Angèle Hermitte, Raphael Larrère, Thierry Paquot, Yves Royer et Sylvie Tailland qui ont bien voulu relire le manuscrit et nous faire part de leurs remarques et suggestions.

ISBN 2-7071-2000-6

Introduction

La sensibilité écologique a connu au cours des dernières années une spectaculaire extension. Alors qu'il y a vingt ans à peine, elle paraissait être seulement l'apanage de ceux que l'on se plaisait à décrire comme les « enfants gâtés » de la croissance, tout le monde ou presque se déclare aujourd'hui écologiste. Ou, à tout le moins, prêt à prendre enfin au sérieux la question de la protection de la nature, devenue « patrimoine commun » de l'humanité. Le phénomène est mondial, mais particulièrement impressionnant chez les Occidentaux, convaincus d'être menacés par les catastrophes écologiques, persuadés des dangers qui pèsent sur la planète et préoccupés par le monde qu'ils laisseront aux générations futures. Fruit de courants d'opinion déjà anciens et de conversions aussi soudaines que tardives, le consensus écologique concerne désormais de larges fractions de la population. Les politiques entendent penser « vert », les scientifiques protéger la Terre, les industriels vendre du propre, les consommateurs commencer à modifier leurs comportements et les habitants des villes et des campagnes défendre leur cadre de vie.

Cet unanimisme est ambigu et, à l'évidence, tout le monde ne se fait pas la même idée de la nature. Dira-t-on que les porteurs de baladeurs participent de la sensibilité écologique parce qu'ils chercheraient ainsi à s'abstraire des bruits de la ville ou verra-t-on en eux les symptômes de l'atomisation et de l'isolement des individus dans les cités modernes ? Qualifiera-t-on d'écologique la pratique de la moto verte car elle ferait découvrir les chemins ruraux à de nouveaux adeptes ou ne constitue-t-elle que l'avatar d'une impuissance à aborder la nature autrement qu'à travers la technique ? La sensibilité écologique, héritière de traditions diverses et composée de courants qui n'ont pas de frontières étanches, s'incarne dans des clientèles, des programmes et des pratiques extrêmement variés et forme, nous y reviendrons longuement, une véritable nébuleuse dont on ne saurait trop souligner le caractère complexe. Elle peut servir de cadre à ceux qui aspirent à une transformation totale de leur vie, comme à ceux qui n'y cherchent que des activités ponctuelles. Elle peut être le véhicule de nouveaux modes de consommation, de technologies dites appropriées, d'un ressourcement spirituel ou d'une volonté de maintenir la diversité des milieux naturels et des cultures. La recherche urgente de nouveaux rapports entre la personne et la planète peut ainsi prendre mille détours et cette variété constitue l'un des fondements de la vitalité actuelle de l'écologie.

Mais la médaille a son revers. Ainsi parée d'un « flou artistique », l'écologie véhicule des valeurs et des choix apparemment contradictoires. On peut, en son nom, en appeler à la science et à la technique ou à la religion, réclamer une intervention croissante de l'État et des institutions mondiales ou bien une plus grande autonomie des individus et des collectivités, s'en remettre au « génie » du marché ou en faire une critique radicale, prévoir l'apocalypse pour demain ou croire que l'humanité ne se pose jamais que les problèmes qu'elle peut résoudre. En bref, si la sensibilité écologique est partout, elle est aussi un fourre-tout, un bric-à-brac que les individus alimentent à loisir et dans lequel ils puisent « à la carte ». Et si pour tout un chacun écologie rime avec nature, il est manifeste que tout le monde n'est pas d'accord sur la nature de l'écologie.

En témoigne, par exemple, le fait qu'il est possible de dresser un bilan tout à fait contradictoire de l'état d'avancée actuel de la conscience écologique. Ainsi, dans le domaine international, l'impératif écologique s'est traduit par l'organisation de multiples conférences et l'existence de programmes scientifiques mondiaux ; d'importantes et souhaitables décisions ont été prises, mais elles apparaissent sans commune mesure avec l'urgence des enjeux et représentent aux yeux de certains pays pauvres un luxe réservé aux nations les plus riches. Les partis écologistes ont incontestablement enregistré des succès électoraux, mais ceux-ci peuvent sembler davantage liés à la défiance des citoyens vis-à-vis des partis traditionnels que manifester une véritable adhésion aux programmes des partis verts. L'essor des associations écologiques et l'activité de leurs nombreux adhérents engagés dans des actions pour la protection des espèces animales et végétales ou résolus à s'opposer au bétonnage des sites marquent d'indéniables progrès de la conscience écologique. Mais l'on doit aussi constater qu'il s'agit souvent de combats défensifs, circonscrits à l'espace d'une commune ou d'une région et d'un poids insuffisant face à la puissance du marché ou aux logiques des technocraties publiques et privées. En matière économique, la protection de l'environnement est maintenant prise en compte et a donné naissance à de nouveaux marchés. Toutefois, on peut remarquer qu'elle n'a encore conduit, dans le monde, qu'à de faibles modifications des pratiques productives et de timides inflexions des politiques publiques. Dans la communauté scientifique mondiale, la réflexion écologique dispose désormais d'une légitimité certaine. Elle a pris sa place parmi les autres savoirs et a ramené certains savants à plus de modestie et de prudence. Mais elle n'a pas permis que s'affirme une nouvelle éthique de la recherche propre à maîtriser les conséquences naturelles, sociales et humaines des découvertes scientifiques et de leurs applications techniques. Une situation comparable prévaut dans le domaine juridique. Les réglementations nationales et internationales se sont incontestablement renforcées, mais le droit de l'environnement, aussi élaboré soit-il, se révèle incapable, en l'état, de rendre effectifs les objectifs écologiques affichés, incapable aussi de dégager un accord sur le statut juridique de la nature.

Ainsi, certains pourraient aisément soutenir l'idée que la « mayonnaise écologique » est, à l'heure actuelle, en train de prendre. Fondés sur une multitude de comportements manifestant une progression réelle du souci de protéger l'environnement, le dynamisme et la vitalité de l'écologie s'inscriraient dans une société d'indétermination, éclatée, où le recours à la nature, sous ses formes individuelles et associatives, constituerait un substitut à l'ancienne morale prescriptive et aux projets politiques globaux. L'écologie se serait enfin débarrassée de ses habits utopistes des années soixante et soixante-dix et, en devenant réaliste et pragmatique, aurait gagné en sérieux et en force de conviction. Elle aurait ainsi réussi à constituer le « supplément d'âme » dont avait besoin la société de marché.

Mais une autre thèse est également défendable. Pensée du complexe et du global concernant des domaines aussi différents que la science, la technique, l'économie, la politique, le droit, etc., l'écologie ne serait pas parvenue à devenir cette interrogation transversale qui, loin de se limiter à la protection de l'environnement, toucherait à l'ensemble de ce qui fait la condition de l'homme moderne. En effet, toute critique des rapports de l'homme à la nature ne pourrait se borner à l'évaluation de la pollution et des déséquilibres nés de la surpopulation. En déroulant le fil écologique, on aboutirait nécessairement à penser les multiples formes de perte d'humanité et de liberté engendrées par l'ordre actuel du monde. Or, bien que devenue une composante de la conscience universelle, l'écologie n'aurait pas réussi à s'affirmer comme un nouveau paradigme de la culture à la hauteur de la crise morale et politique planétaire. Elle ne serait pas devenue une nouvelle manière d'habiter le monde et le choix écologique se serait réduit à la protection de l'environnement.

Ces compréhensions différentes de l'écologie sont à l'origine de son caractère équivoque et rendent son avenir particulièrement incertain, entre gestion et politique, entre science et culture. Mais, plus profondément, on peut penser que toutes ces ambiguïtés, tous ces paradoxes se ramènent à une équivoque majeure que nous avons voulu résumer par la métaphore suivante: l'écologie est aujourd'hui entre Ciel et Terre.

Au nom d'une vision futuriste de la nature, écosystémique, dont la gestion exigerait toujours plus de science et de technologie, notamment spatiale, l'écologie pourrait en effet fort bien accompagner l'avènement de la civilisation post-industrielle et s'inscrire dans un mouvement général d'artificialisation du vivant, de mobilité généralisée des individus et de dualisation des sociétés. Le développement des manipulations génétiques, la fabrication de morceaux de nature sous bulle, aseptisés et prêts à être consommés en guise de loisir, ou bien encore la multiplication des contrôles écologiques depuis l'espace sont les indices les plus récents, en même temps que les plus évocateurs, de cette voie post-industrielle.

Mais alors pourrait se voir, par contrecoup, renforcée une autre voie qui travaille historiquement l'écologie. Celle-ci, au nom de la tradition, de la sacralisation de la nature et de la naturalisation des liens sociaux, s'est toujours attachée à défendre, contre le cosmopolitisme, les particularismes identitaires et territoriaux. Exprimant le désespoir des exclus dont l'avènement de la civilisation post-industrielle ne manquerait pas de multiplier le nombre et d'aiguiser les rancœurs, l'écologie pourrait alors être tentée de se replier sur ces mythologies, traditionalistes mais encore bien vivaces. Elle accompagnerait ainsi la montée des nationalismes autoritaires, de la xénophobie et du racisme. Le fait que, dans plusieurs pays d'Europe, l'extrême droite cherche aujourd'hui à s'annexer l'écologie doit moins faire peur que conduire les écologistes à une vigilance accrue et à ne pas perdre de vue les aspirations universalistes dont témoigne la recherche d'une citoyenneté planétaire.

On peut d'ailleurs avancer que les utopies scientiste et restauratrice, qui constituent deux dérives possibles de l'écologie, se supposent et s'engendrent mutuellement comme les mouvements d'un balancier. Or, quand elle s'appuie sur l'universalisme, l'égalitarisme et la solidarité avec les exclus du système, la contestation de la place du marché et de la technoscience ne procède pas d'une volonté de retour à la société de corps, close et autoritaire. C'est cette voie de l'écologie, déjà souvent empruntée, qu'il convient encore d'approfondir en revenant sur certains problèmes fondamentaux. Nous avons ainsi choisi de reprendre la réflexion autour de deux questions aujourd'hui trop fréquemment occultées, et qui pourtant travaillent la pensée écologique depuis l'origine et en déterminent l'avenir : celle de la définition des besoins et celle du rapport à la terre. Ne faut-il pas, à l'instar des anthropologues qui se sont penchés sur l'organisation des sociétés sauvages, réinterroger la notion de « besoin » ? Et tenter de chercher, entre l'austérité volontaire chère aux écologistes radicaux des années soixante et soixante-dix et l'idéologie de la consommation qui semble poursuivre son inexorable progression, une redéfinition contemporaine, écologique et politique des besoins ? De même, n'est-il pas urgent de reposer la question de la relation que l'humanité souhaite entretenir avec la terre et avec cette figure hautement symbolique de son rapport à la nature qu'est le paysan ? N'a-t-elle de choix qu'entre un attachement à la terre de sinistre mémoire et un arrachement à la Terre porteur de nouvelles menaces technoscientifiques ?

I

La sensibilité écologique

1

Le consensus écologique

Catastrophes écologiques

En cette fin de deuxième millénaire, l'expression la plus manifeste de l'écologie, c'est la peur. Non pas une peur sourde, tue et qui aurait honte d'elle-même, mais une peur ostentatoire, qui se dit et s'écrit, s'affiche et se filme, s'offre en un spectacle à la mesure de la mondialisation de la communication. La peur écologique est une grande peur planétaire. « La Terre menacée », « La Terre perd la boule », « La Terre en danger de mort », « La Nature en état d'urgence », « Nous n'avons qu'une planète » font les titres des journaux, les couvertures des magazines, les soirées de télévision et forment l'écologie-spectacle qu'incrédules ou convaincus nous nous habituons désormais à contempler. Les effets de mode, le goût du sensationnel médiatique ne sont pourtant pas seuls en cause. La grande peur écologique pousse en terre fertile. Elle se nourrit de l'incessante découverte de nouveaux dégâts du progrès, à notre porte comme à l'autre bout du monde. Elle croît avec l'inventaire scientifique, constamment renouvelé, des atteintes graves, voire irrémédiables, que l'homme a causées aux trois éléments naturels, l'eau, l'air, la terre, qui ont permis la vie et façonné l'existence des sociétés humaines ou animales. Elle s'amplifie des menaces encore inconnues qui pèsent sur nous, des pollutions invisibles qui nous entourent, des risques technologiques que l'on nous cache, et s'épanouit en d'innombrables scénarios-catastrophes et prophéties d'apocalypse dont on nous prévient qu'ils ne relèvent plus à présent du seul domaine de la fiction. Bref, ce qui, il y a peu, nous aurait paru inouï ou insensé est dorénavant évoqué, à tort ou à raison, comme faisant partie du domaine du possible : l'éventualité d'un « holocauste naturel, artificiellement déclenché, qui menace l'humanité entière et avec elle toutes ses espèces vivantes [1] ».

« Les conditions mêmes de la vie sur notre planète sont aujourd'hui menacées par les atteintes graves dont l'atmosphère est l'objet », ont solennellement déclaré 24 chefs d'État et de gouverne-

---

1. *Libération*, « La Terre perd la boule », numéro hors-série, 22 juin 1989, p. 3. On notera que le mouvement Ecoropa-France (pour une démocratie écologique) qualifie la destruction des forêts tropicales d'« holocauste biologique » dans un texte intitulé « Sauvons les forêts... Sauvons la planète ». Il y appelle à signer une pétition soutenue par un journal anglais renommé, *The Ecologist*, qui a déjà recueilli 3 millions de signatures dans le monde.

ment qui se sont affirmés prêts, à La Haye en mars 1989, « à déléguer une parcelle de leur souveraineté nationale pour le bien commun de l'humanité tout entière ». De même, le sommet des sept pays les plus riches du monde tenu à Paris à l'occasion du bicentenaire de la Révolution française n'a pas, pour une fois, été dominé par des considérations exclusivement économiques et financières. Les problèmes d'environnement y ont tenu une place importante et ont amené les Sept à affirmer dans leur déclaration finale qu'il était « urgent de prendre des mesures pour comprendre et protéger l'équilibre écologique » et « remplir ainsi nos obligations envers les générations futures ». En France, le Premier ministre, Michel Rocard, a souvent tenu à manifester, depuis sa nomination, la vigueur de ses préoccupations écologiques. Il a ainsi souhaité, en août 1989 lors d'un entretien avec le commandant Cousteau, « que l'année du bicentenaire de la Révolution soit l'année de la création, de la mise en œuvre d'un droit de l'humanité, d'un droit à l'environnement salubre. Un droit à la survie dans un environnement propre ». Et il a souligné que « la défense de l'environnement va coûter très cher. La planète a vu un gouvernement tomber pour des raisons de financement de l'écologie : celui des Pays-Bas. C'est le premier, sûrement pas le dernier[2] ». Le

2. « Rocard-Cousteau : Comment sauver la planète ? », *L'Express*, 11 août 1989, p. 29 et 30.

pape Jean-Paul II, quant à lui, dans son message du 1er janvier 1990 entièrement consacré à la crise écologique, qualifiait celle-ci de « problème moral majeur ».

L'explosion de la sensibilité écologique dans les pays occidentaux provient, au moins en partie, de la succession de catastrophes dues notamment aux industries chimiques (Seveso, Bhopal, pollution du Rhin par Sandoz), aux industries pétrolières (marées noires de Bretagne, d'Alaska, etc.) et à l'industrie nucléaire (Three Miles Island, Tchernobyl). Ainsi, dans un bilan portant sur les quatre dernières décennies, François Ramade a non seulement insisté sur l'accroissement du nombre de catastrophes écologiques d'origine naturelle (sécheresses, inondations, cyclones, tremblements de terre) et technologique, mais a encore rappelé le nombre de plus en plus grand de victimes qu'elles occasionnaient, en particulier dans le tiers monde[3]. En Europe, l'accident nucléaire de Tchernobyl a très certainement, par son ampleur et sa gravité, joué un rôle décisif dans le bouleversement des consciences. Véritable événement fondateur, il a montré que le sort de tous les pays d'un continent était lié et que les gouvernements, tout comme les experts, étaient largement impuissants à faire face aux menaces et n'hésitaient pas,

---

3. Selon François Ramade, ce fait est lié non seulement à l'accumulation des risques technologiques, mais aux conséquences de l'explosion démographique et du sous-développement. Voir F. RAMADE, *Les Catastrophes écologiques*, Mac Graw Hill, Paris, 1987, 318 p.

au besoin, à dissimuler leur réalité. Le feu nucléaire ne s'est, depuis lors, jamais vraiment éteint en Ukraine et l'on ne cesse de faire l'inventaire de toutes ses effroyables conséquences.

C'est dans ce contexte que se sont succédé, depuis trois ou quatre ans, les révélations et les polémiques sur l'aggravation de la pollution touchant l'atmosphère de la planète. Rappelons brièvement les trois phénomènes qui apparaissent, en ce début de décennie, en tête du palmarès des conséquences écologiques de l'activité humaine. Celle-ci a d'abord été à l'origine de l'émission d'un cocktail de gaz et de poussières qui, transporté par le vent sur de longues distances, retombe sous forme sèche ou humide sur le sol et les eaux. Ces « pluies acides » ont sans doute déjà détruit toute forme de vie supérieure dans les lacs scandinaves, écossais et canadiens et ont contribué, avec d'autres facteurs, au dépérissement des forêts d'Europe et d'Amérique du Nord. L'émission de chloro-fluoro-carbones (CFC) provenant des aérosols, circuits de réfrigération, etc., aurait également, selon des hypothèses vraisemblables, provoqué un trou dans la couche d'ozone de la stratosphère qui protège la vie sur terre des rayons ultraviolets B du soleil. Enfin, le gaz carbonique, les CFC et d'autres gaz émis par l'activité humaine contribuent, par « effet de serre », au processus de réchauffement de la planète dont les modalités restent encore mal connues[4]. Au moment où s'ouvrait à Genève la IIe Conférence mondiale sur le climat (octobre 1990), la plupart des modèles de simulation prédisaient un accroissement moyen des températures de la Terre de 3 °C à l'horizon 2030-2050. Les conséquences de ce processus seraient multiples. On estime qu'il pourrait produire une montée du niveau des mers chiffrée entre 0,50 et 1,50 mètre, mais l'ampleur de la modification des climats et des mouvements de population qui s'ensuivraient reste difficile à évaluer.

Ces trois types de phénomènes, par leur gravité, occupent à présent une place symbolique qui a presque relégué au second plan d'autres types de pollutions plus localisés et pourtant tout aussi inquiétants. Ils ont frappé une opinion publique mondiale déjà sensibilisée par les catastrophes écologiques en montrant notamment que la science et la technique pouvaient se retourner contre les humains et menacer les éléments indispensables à la vie. L'ère optimiste de la croyance dans un développement linéaire du progrès semble aujourd'hui close depuis qu'une grande partie des habitants des sociétés modernes a pris conscience de sa dépendance vis-à-vis des équilibres fondamentaux de la nature. C'est pourquoi la sensibi-

---

4. Cédric PHILIBERT, *La Terre brûle-t-elle ?*, Calmann-Lévy, Paris, 1990, 240 p. Haroun TAZIEFF développe, quant à lui, des thèses différentes dans *La Terre va-t-elle cesser de tourner ?*, Seghers, Paris, 1990, 180 p.

lité écologique n'est plus seulement l'apanage de groupes restreints comme il y a peu. Au début de 1989, plus de neuf Français sur dix qualifiaient la défense de l'environnement d'objectif prioritaire ou très important et le mouvement d'opinion s'est confirmé en 1990[5]. Hommes politiques, entrepreneurs et décideurs de tous ordres se sont ainsi mis au diapason d'un problème qui fait désormais l'objet d'un consensus aussi spectaculaire qu'ambigu.

Tous écologistes

L'heure de gloire de l'écologie avait été provoquée en France, au cours des années soixante-dix, par la contestation du mode de vie industriel, la réaction aux pollutions (les marées noires jouant en cela un rôle symbolique), les prophéties du Club de Rome à propos de l'épuisement prochain des ressources naturelles, la crise pétrolière et le mouvement antinucléaire. Les écologistes — la généralisation du terme date du début de cette décennie — se recrutaient alors parmi les défenseurs de l'environnement dont l'action était déjà ancienne, une petite minorité de scientifiques et de

5. Selon un sondage réalisé en juin 1990 par l'Institut CSA pour le compte du secrétariat d'État à l'Environnement, les Français plaçaient, par ordre d'importance, l'environnement et l'écologie au deuxième rang des problèmes à affronter. Enfin, 64 % des sondés se déclaraient prêts à payer un impôt sur l'environnement.

technocrates éclairés, les multiples adeptes de techniques « douces » et les porteurs d'un projet antiproductiviste alternatif et radical. De son côté, Valéry Giscard d'Estaing avait alors voulu se servir de l'écologie comme d'un thème susceptible d'apporter un supplément d'âme à la société moderne en « humanisant la croissance » et en ouvrant aux citoyens « le droit à un meilleur environnement quotidien[6] ». Mais le programme nucléaire ne fut pas remis en cause et l'écologie retrouva la place mineure que lui concédait un discours économique envahissant qu'elle n'avait pas réussi à détrôner. Industriels, syndicats, partis politiques ne voyaient alors dans l'écologie, pour la plupart d'entre eux, qu'un phénomène de mode et de révolte idéaliste, soutenu par des nantis, hors de propos face à la montée des problèmes économiques et énergétiques mondiaux.

Aujourd'hui, un tel tableau n'est plus de mise et, en France comme dans bien d'autres pays, tout le monde ou presque se prétend écologiste. Les grands partis politiques ont bien senti le vent tourner ; aux élections européennes de juin 1989, tirant la leçon du succès écologiste au scrutin municipal français du mois de mars, chacun a consacré à l'environnement une place de choix et pris soin de présenter parmi ses candidats qui un scientifique écologisant, qui un responsable d'asso-

6. Cf. « Pour un environnement "à la française" ». Textes et déclarations de Valéry Giscard d'Estaing de mai 1974 à février 1977, p. 4.

ciation de défense de l'environnement ou du droit des animaux [7]. En août 1989, le chef du gouvernement français n'a pas craint d'affirmer : « Il y a dans la montée des partis verts un risque pour l'écologie de se limiter à un groupe de pression, au lieu de devenir une nouvelle manière de penser la gestion publique. C'est dans tous les partis qu'il faut une pensée verte [8]. » Mais un an plus tard, François Mitterrand lors d'un entretien télévisé donné à l'occasion du 14 Juillet, rendait un hommage appuyé aux écologistes dont le mérite, disait-il, était d'avoir vu juste les premiers. Pays le plus densément peuplé d'Europe, la Hollande a été particulièrement sensibilisée aux problèmes d'environnement, surtout depuis que ses habitants ont été alertés en 1988 par un rapport de l'Institut royal de la santé publique. Celui-ci stipulait que si la pollution n'était pas réduite de 80 % au moins, le pays ne serait plus « viable » en 2010. Les associations de défense de l'environnement se sont alors multipliées et la reine Beatrix tout comme les partis politiques ont fait de ce thème une priorité nationale. On en est ainsi arrivé à la mise au point de plans de lutte contre la pollution qui devraient bouleverser bien des choses, notamment en agriculture et dans les modes d'utilisation des voitures individuelles. Combien de temps

7. On rencontre même des conseillers en environnement se targuant de donner aux hommes politiques la touche écologique qui leur fait défaut. Cf. *Libération*, 9 sept. 1989.

8. « Rocard-Cousteau », *L'Express*, art. cité, p. 29.

encore la Hollande constituera-t-elle un exemple isolé ?

La réaction aux « dégâts du progrès » est désormais l'une des dimensions fondamentales de la sensibilité écologique actuelle. Dans les pays riches, de plus en plus de gens reprennent à leur compte l'une des idées de base de l'écologie selon laquelle l'augmentation de la production ne constitue pas nécessairement le moyen de vivre mieux. Ainsi, les analyses d'Ivan Illich sur les rapports de l'homme moderne et des machines se sont révélées depuis peu d'une étonnante actualité et ont retrouvé un écho diffus dans le public et les médias. En 1973, il avait montré qu'un Américain moyen consacrait plus de 1 500 heures par an à sa voiture sous différentes formes (embouteillages, temps de déplacements, frais d'essence, d'entretien, etc.) pour faire 1 000 kilomètres de trajet et il en avait donc conclu que six kilomètres lui prenaient une heure [9]. Aujourd'hui, les pays occidentaux ont découvert que ce moyen de transport dispendieux contribuait largement, par sa fabrication et son fonctionnement, à l'existence des « pluies acides ». Les préfaciers canadiens de l'édition française de *Notre avenir à tous* lui imputent même la moitié de la consommation énergétique d'Amérique du Nord et des pays les plus riches d'Europe [10]. Mais l'automobile étant devenue

---

9. Ivan ILLICH, *La Convivialité*, Points/Le Seuil, Paris, 1973, p. 24.
10. Cf. Commission mondiale sur l'environnement et le développement, *Notre avenir à tous*, Éd. du Fleuve, Montréal, 1988.

l'un des éléments organisateurs des modes de vie modernes, il est fort difficile de stopper son expansion car elle a induit un type d'urbanisation qui nous a en retour rendus dépendants d'elle. La voiture a en effet entraîné la multiplication des banlieues dont une partie des habitants utilise ce moyen de transport pour venir travailler dans les centres-ville qu'ils contribuent ainsi à engorger. Plus ceux-ci deviennent invivables, plus on cherche à les fuir au profit d'agglomérations moins congestionnées et moins chères. Mais il faut alors toujours davantage d'autos et de routes car on s'éloigne du lieu de travail, de l'école ou du supermarché [11]. A Montréal, par exemple, le nombre de ménages possédant deux véhicules a crû de 50 % entre 1984 et 1989. La situation des grandes métropoles est si grave qu'elle a amené le PDG de l'entreprise Volvo à préconiser que l'on bannisse les voitures des villes « menacées de chaos » par la circulation et dont « la pollution atmosphérique atteint des proportions insupportables [12] ». Devenu le moyen quasi exclusif de satisfaction des besoins de circulation, l'automobile y exerce un « monopole radical » (nous reviendrons au chapitre 5 sur cette notion définie par Ivan Illich) et l'homme en a peu à peu perdu la maî-

11. Michel BOSQUET avait déjà décrit cette situation dans « L'idéologie sociale de la bagnole », *Le Sauvage*, sept.-oct. 1973, article repris dans *Écologie et politique*, Points/Le Seuil, 1978, p. 77-87.

12. Entretien avec Pehr Gyllenhammar, PDG de Volvo, *L'Événement du jeudi*, 26 oct.-1er nov. 1989, p. 32.

trise. Ce processus n'est pas limité au cas de la voiture et il a conduit des hommes politiques et même des ministres occidentaux à reprendre à leur compte certains éléments de la critique écologique de la notion de croissance. Ainsi, le ministre italien de l'Environnement écrivait-il en 1988 : « Il faut changer les valeurs et les paramètres de l'environnement économique, revoir la notion de bien-être qui ne saurait se résumer simplement en termes de croissance et de produit national brut [13]. »

La protection de l'environnement a également fait son entrée dans le domaine de la diplomatie. Le Nicaragua a par exemple proposé en 1989 à l'assemblée générale de l'Union internationale pour la conservation de la nature et des ressources naturelles (UICNRN) la création d'un parc international de la paix dans la zone frontalière avec le Costa Rica, pour démilitariser celle-ci. Il a, parallèlement, fait la même proposition à son voisin du nord, le Honduras. La nature est aussi devenue monnaie d'échange pour le règlement de la dette du tiers monde. Depuis 1988, des échanges « dette-nature » ont en effet été signés par des grandes organisations non gouvernementales (ONG) internationales avec la Bolivie, le Costa Rica, les Philippines et Madagascar [14]. Ces ONG

---

13. Giorgio RUFFOLO, « Revoir la notion de bien-être », *Le Monde diplomatique*, oct. 1988, p. 3.
14. Arnaud COMOLET, « Échange dette-nature : une pierre deux coups », *Le Monde diplomatique*, sept. 1989, p. 20.

ont racheté aux banques une fraction de la dette des pays concernés dont l'annulation a été soumise à la création, dans les territoires de chacun d'entre eux, de parcs naturels ou de réserves. Ces transactions n'ont porté que sur une infime partie de la dette globale des pays pauvres, mais elles sont un symptôme de la mondialisation des enjeux de la protection de l'environnement. Celle-ci est l'objet de négociations internationales multiples et a permis, dans le cas présent, à quelques grandes banques de se donner une image écologique.

L'attitude des industriels n'a pas été moins spectaculaire. Ils ont rapidement compris que ce qui était teinté de vert faisait désormais vendre. En 1989, Total nous a incités à acheter son essence super-sans plomb « pour que notre ciel soit plus bleu ». Plus cynique encore, le constructeur automobile Audi a cherché à démontrer son avance technologique : « Dès 1977, toutes les Audi pouvaient déjà rouler à l'essence sans plomb. Alors, pour patienter, on a cherché dans une autre direction [15]. » De son côté, la Fondation Ford-France a décerné en 1988 son prix Nature et Patrimoine à une association écologique bas-normande, le Comité régional d'étude pour la protection et l'aménagement de la nature (CREPAN), pour ses efforts en faveur de la préservation des ormes. C'est désormais officiel, ceux qui contribuent à la pollution subventionnent dans le même temps les

15. Publicité parue dans *Le Monde*, 29 juil. 1989, p. 5.

écologistes. Et d'ailleurs, comme nous l'a montré en 1989, sur une grande échelle, la compagnie Shell en Alaska, ce sont souvent les mêmes qui polluent puis dépolluent. Plus artisanaux, les efforts de la conceptrice-vendeuse de vêtements Elizabeth de Senneville apparaîtraient presque touchants lorsqu'elle imprime sur le dos de ses vestes des homards, des lézards ou des phoques « pour que les gens de la ville n'oublient pas complètement la mer, la forêt et les espèces animales à protéger[16] ». Même sans dessin, il est facile de comprendre que les qualités intrinsèques d'un produit importent moins que l'image qu'il véhicule. Ce phénomène touche également les produits alimentaires biologiques qui se trouvent pourtant depuis longtemps au centre de la dialectique du naturel et de l'artificiel. En 1989, un industriel breton qui avait lancé une gamme de produits laitiers biologiques, exposait ainsi sans états d'âme : « Le produit ''bio'', c'est de l'image, il faut la mettre en valeur[17]. »

En Occident, la sensibilité écologique a longtemps eu comme substrat la critique de la société de consommation et, pour parler comme Jean Baudrillard, du « système des objets ». Mais la fin des années quatre-vingt a vu se confirmer une tendance amorcée au cours de la décennie précé-

16. Cité par *Jardin des modes*, juil.-août 1989, p. 7.
17. « L'âge de raison de l'agriculture biologique » (3), in *Ouest-France* du 21 juil. 1989.

dente : ce qui est écologique devient facteur de distinction dans l'achat des produits [18]. En Allemagne fédérale, ils sont déjà 3 500 à s'être vu décerner depuis quelques années le label « ami de l'environnement », alors que la France tarde à mettre en place le sien. Mais, là comme ailleurs, se prépare le Grand Marché et les deux pays sont en compétition dans la définition des normes du label européen à venir. De leur côté, certains écologistes entendent jouer clairement la carte du lobby consumériste en recommandant les bons produits, les bonnes technologies et les bonnes entreprises [19].

D'ores et déjà, ce sont les éco-industries qui connaissent la croissance la plus spectaculaire, comme le montre pour la France le tableau de la page 33. La récupération des déchets, nous le verrons au chapitre 4, s'est également trouvée à l'origine de marchés en pleine expansion, et certains industriels ont bénéficié depuis peu du soutien d'écologistes confirmés dans leur entreprise de recyclage. Ainsi, le 24 avril 1989, le président de France Nature Environnement (FNE), puissante fédération des sociétés de protection de la nature, a signé, sous les auspices de Brice Lalonde, minis-

18. Cf. par exemple Patricia CASTET et Claire LE BOUAR, *Le Nouveau Shopping écologique*, Éd. Sand, Paris, 1989.

19. « Pour le consommateur, chaque achat est un vote pour ou contre l'environnement », affirme par exemple l'éditorial de *Métamorphose, lettre européenne de l'environnement* (n° 1, juin 1988), édité par plusieurs journaux et bulletins écologistes de la CEE.

tre délégué à l'Environnement, une convention avec un organisme créé par les industries du plastique, le Groupement d'étude pour le conditionnement moderne (GECOM). L'opération s'est donné pour objectif de récupérer cinquante millions de bouteilles en plastique dans une douzaine d'agglomérations du Bassin rhôdanien. En avril de la même année, de nombreux écologistes ont apporté leur soutien au procédé de valorisation des ordures ménagères mis en œuvre à Amiens par la société Valorga, elle-même dirigée par un ancien militant écologiste[20].

Ces rapprochements, naguère inimaginables, ont constitué l'une des caractéristiques de la sensibilité écologique de la fin des années quatre-vingt, au point que l'on a pu écrire que l'écologie constituait maintenant un produit social recyclable. Aujourd'hui, les industriels s'intéressent à l'environnement et de plus en plus d'écologistes acceptent de collaborer avec certains d'entre eux[21]. L'opinion publique et la concurrence internationale ont amené le repositionnement de grands groupes sur ce créneau écologique. Raul

---

20. Diverses structures ont apporté leur caution à Valorga : Les Amis de la Terre, l'Entente européenne pour l'environnement, le Fonds mondial pour la nature (France), France Nature Environnement, les Verts et la revue *Combat Nature*. Cf. *Combat Nature*, n° 86, août 1989, p. 40-43.

21. Cette collaboration s'est également développée dans le cadre de procédures de mécénat. Ainsi Rhône-Poulenc s'est-il associé à concurrence de 500 000 francs à la Fédération Rhône-Alpes de protection de la nature (FRAPNA) pour la réalisation d'un centre d'observation du milieu naturel sur le site de l'île du Beurre. Cf. *Combat Nature*, nov. 1989, p. 15.

Les éco-industries	*Taux d'accroissement annuel moyen*	
	1989/1988	*1990/1989*
Ingénierie environnement [1]	3,3	3,0
Pots catalytiques	25,0	25,0
Essence sans plomb [2]	400,0	400,0
Eau		
Production et distribution d'eau [1]	1,1	1,2
Travaux d'adduction	2,7	2,3
Stations d'épuration des eaux résiduaires [1]	15,0	5,0
Tubes et tuyaux en béton [2]	2,3	2,1
Tubes et tuyaux en fibres-ciment [2]	- 1,8	- 1,8
Tubes et tuyaux en PVC [2]	4,5	4,2
Tubes et tuyaux en fonte [2]	8,5	9,5
Pompes d'assainissement [1]	3,0	3,0
Instrument de mesure « eau » [1]	4,5	5,0
Analyse de l'eau [1]	13,0	13,0
Air		
Dépoussiéreurs [1]	- 2,5	- 0,5
Filtres [1]	2,0	1,0
Instruments de mesure « air » et « gaz » [1]	1,0	1,0
Bruit		
Isolation acoustique [1]	8,0	1,5
Instruments de mesure « bruit » [1]	8,0	8,0
Déchets		
Chaudières à déchets [1]	7,8	5,0
Récupération des métaux (ferrailles) [2]	5,0	4,0
Récupération de fibres cellulosiques [2]	6,3	5,5
Récupération du verre usagé [2]	4,0	4,0
Récupération des plastiques (polyéthylène) [2]	- 5,0	4,0
PIB marchand [1]	3,2	2,7
FBCF administrations [1]	1,7	1,3
FBCF entreprises secteur concurrentiel [1]	8,0	4,6
Prix à la consommation (moyenne annuelle) [1]	3,6	2,8
Bâtiment [1]	3,0	1,3
Génie civil [1]	3,3	1,7

1. En volume.
2. En tonnes.

Source : BIPE (Bureau d'information et de prévision économique), Comité de conjoncture des activités liées à la gestion de l'eau et à l'antipollution, secrétariat d'État chargé de l'Environnement, DEPPR, Sretie.

Gardini, patron du groupe agro-industriel Ferruzi qui contrôle la très polluense firme chimique Montedison, annonçait récemment cinq objectifs stratégiques pour son entreprise « visant tous à l'amélioration de la qualité de la vie » : l'alimentation, l'environnement, la santé, l'énergie, la chimie et les nouveaux matériaux. Et il concluait : « L'écologie est l'avenir de l'économie, et l'agriculture l'outil le plus important de l'écologie. L'agriculture sera notre mine de demain et les agriculteurs les mineurs du futur[22]. » Mais ces derniers, lorsqu'ils utilisent trop d'engrais et de produits de traitement ou lorsqu'ils concentrent trop d'animaux dans des productions « hors sol », en un mot quand ils ont une conception trop minière du vivant, deviennent suspects aux yeux de nombre de citoyens. Aux Pays-Bas, un rapport du ministre de l'Agriculture prévoyait en 1989 la disparition d'environ un quart des agriculteurs néerlandais d'ici l'an 2000, parce qu'ils ne pourront pas engager les dépenses nécessaires à la protection de l'environnement[23]. En France, une intervention de Brice Lalonde relative à la pollution de l'eau par les nitrates d'origine agricole, a déclenché au début de 1990 un débat passionné, en mettant les agriculteurs au banc des accusés. Ceux-ci incarnent en effet, de par leur activité, le

22. Gardini pour un « droit à l'environnement », *Libération*, 31 juil. 1989, p. 9.

23. Inge RUYTER, « Le grand exode », *Le Nouvel Agriculteur*, 23 juin 1989, p. 17.

maillon ultime de la chaîne qui relie les hommes à la nature dans l'imaginaire collectif des Français[24]. Que leur image soit associée à la pollution sonne comme un signal d'alarme et confirme que nos sociétés modernes ont été trop loin en prétendant, grâce à leurs puissants moyens techniques, façonner la nature en fonction des seuls critères de rentabilité. L'idée qu'on aurait ainsi mis à mal un équilibre essentiel, contribue à alimenter la sensibilité écologique alors qu'au même moment le spectacle des pays de l'Est illustre jusqu'à quelles extrémités peuvent aller la destruction de la nature et la dégradation de l'environnement.

Dès 1978, Michel Bosquet avait d'ailleurs annoncé les temps que nous vivons : « L'écologie n'apparaît comme discipline séparée que lorsque l'activité économique détruit ou perturbe durablement le milieu ambiant et, de ce fait, compromet la poursuite de l'activité économique elle-même ou en change durablement les conditions[25]. »

La nature, un patrimoine commun

Tant de professions de foi écologiques et de sollicitude pour la protection de la nature ou de l'environnement, ces deux derniers termes aux

24. Cf. Pierre ALPHANDÉRY, Pierre BITOUN et Yves DUPONT, « Les agriculteurs et la sensibilité écologique », *Libération*, 14 mars 1990.
25. Michel BOSQUET, *Écologie et politique*, *op. cit.*, p. 22.

multiples acceptions étant souvent utilisés de manière indistincte, ne manquent pas de poser question. Ce consensus apparent renvoie-t-il à autre chose qu'à une position minimale vouée à la défense de ce qui nous reste de nature ? Peut-on, au contraire, considérer qu'il prépare des transformations fondamentales des rapports de l'homme à son environnement ? Que discerner, enfin, derrière ce qui tient de plus en plus lieu, en France et en Occident, de nouveau discours commun ?

La première dimension de la sensibilité écologique s'exprime, nous l'avons vu, dans la peur des catastrophes et la prise de conscience de la vulnérabilité d'un monde qui, pour avoir mis des milliards d'années à se constituer, pourrait se défaire très rapidement, moins à présent par les menaces de la guerre atomique que par l'accumulation de pollutions[26]. Avec la multiplication des scénarios pessimistes, la nature ainsi invoquée existe d'abord « par défaut », les éléments nécessaires à la vie venant à manquer à une humanité qui aurait été trop loin dans sa volonté démiurgique de façonner la planète. La nature en devient par là même objectivable, car elle est auscultée, mesurée pour permettre aux experts de diagnostiquer les conditions du maintien de la vie humaine sur Terre. Mais la sensibilité écologique actuelle

26. On reviendra au chapitre 4 sur l'interprétation de cette grande peur écologique.

exprime aussi un malaise profond dans des sociétés où s'accumulent les marchandises et les déchets alors que s'artificialisent toujours davantage les rapports des hommes et de leur environnement. Ce sentiment diffus, considéré comme passéiste il y a encore peu de temps, est maintenant conforté et comme rationalisé par les menaces écologiques successives. « L'aspiration à la nature n'exprime pas seulement le mythe d'un passé naturel perdu ; elle exprime aussi les besoins *hic et nunc* des êtres qui se sentent brimés, oppressés, opprimés dans un monde artificiel et abstrait[27] », écrit ainsi Edgar Morin. Avec l'éventualité de la disparition irréversible de la diversité des écosystèmes, ce n'est pas seulement la possibilité de la vie humaine sur notre planète qui serait menacée, mais aussi l'incommensurable enchantement que lui apporte la nature.

La sensibilité écologique est ainsi ouverte à deux types de discours sur la nature et l'environnement. L'un, quantificateur, s'attache à la sauvegarde des écosystèmes et des grands équilibres planétaires. L'autre reprend une idée très ancienne, selon laquelle le bonheur humain ne se trouve pas seulement dans l'accumulation des marchandises, mais aussi dans les joies esthétiques et le ressourcement spirituel qu'apporte un rapport plus direct avec la nature. De tous côtés s'élèvent aujourd'hui

27. Edgar MORIN, « Pour une nouvelle conscience planétaire », *Le Monde diplomatique*, oct. 1989.

des appels solennels à faire de cette dernière un « bien commun universel », à la « socialiser », avant qu'il ne soit trop tard, par le biais de politiques publiques nationales ou internationales associant citoyens-consommateurs, industriels, scientifiques et hommes politiques[28]. L'ambiguïté de ces appels tient au fait qu'ils s'expriment simultanément dans les deux registres que nous avons évoqués. En témoigne le recours général, pour désigner la nature, à des notions telles que « richesse immatérielle », « patrimoine commun de l'humanité » ou « ressources partagées »[29]. Celles-ci, faisant écho à la nécessité de solidarités nouvelles, en appellent aux sciences du vivant, aux sciences sociales ou à la philosophie.

Dans son expression la plus fréquente, le consensus écologique actuel se fonde sur l'idée implicite qu'on pourrait, en luttant contre les pollutions les plus graves, et en s'accordant sur une gestion raisonnable des ressources naturelles, retrouver un langage commun aux hommes en protégeant les espèces animales et végétales, les forêts, les mers, l'Antarctique et tous les milieux sensibles. Plus localement, on rationaliserait la gestion des déchets de toute sorte dont on ne sait plus que faire et on contrôlerait les gaspillages. Des initiatives régulières, telles que le Jour de la

28. Il y a quinze ans, Philippe SAINT-MARC s'était déjà exprimé dans ce sens dans *Socialisation de la nature*, Stock, Paris, 1975.

29. Cf. Martine RÈMOND-GOUILLOUD, *Du droit de détruire*, PUF, Paris, 1989, p. 108.

Terre (22 avril 1990), ne manquent pas de souligner que chaque citoyen peut apporter sa part aux actions de sauvegarde, réactualisant ainsi la phrase de Mac Luhan : « Il n'y a pas de passagers sur le vaisseau spatial Terre, nous sommes tous l'équipage. » Ainsi, une raison instrumentale par trop destructrice se trouverait-elle comme rééquilibrée par une gestion scientifique et civique des milieux naturels et un contrôle des activités humaines s'appuyant sur une véritable morale de la terre habitable. En tentant de léguer aux générations suivantes le patrimoine « naturel » dont nous avons hérité, les sociétés modernes renoueraient avec les notions de devoir et de dette qu'elles avaient laissées de côté en s'émancipant de la religion et de la tradition [30]. Une telle évolution ne serait toutefois rendue possible qu'en tempérant l'individualisme existant par la quête de règles écologiques communes. De la même manière, le progrès pourrait, dans cette visée consensuelle, retrouver un sens en œuvrant à la perpétuation de la viabilité de la biosphère et au maintien de la diversité des écosystèmes.

L'évocation de plus en plus fréquente de ces perspectives ne peut que séduire de larges catégories de citoyens, mais leur caractère consensuel ne manque pas de poser question. Comment passerait-on, en effet, d'une guerre économique

30. Cf. Alain CAILLÉ, « Le juste, l'utile et l'agréable », *Revue du MAUSS*, n° 6, 1989, p. 76.

mondiale sans merci qui, comme l'écrivait le Club de Rome en 1972 « a transformé le monde en poudrière », à la sagesse écologique ? La concurrence sauvage qui s'impose à tous les pays les pousse davantage à considérer la nature comme une ressource qu'il faut maîtriser et s'approprier qu'à la concevoir comme un patrimoine commun à conserver pour en transmettre la diversité aux générations suivantes. L'inefficacité du droit de l'environnement constitue un symptôme de la difficulté à penser le statut de la nature en vue de sa protection [31]. Et l'on voit mal, aujourd'hui, sur quels principes politiques les États fonderaient de nouvelles solidarités nécessaires pour mettre en œuvre une politique mondiale de l'environnement.

Néanmoins, tout se passe à présent comme si les gouvernements occidentaux avaient délégué aux institutions scientifiques mondiales le soin de définir des modes de vie compatibles avec les grands équilibres planétaires et s'imposant à tous. Déjà, en 1972, la conférence de Stockholm sur l'environnement organisée par les Nations unies avait débouché sur la création du Programme des Nations unies pour l'environnement (PNUE) afin d'encourager la coordination internationale. Par la suite, de multiples recherches ont été mises en

---

31. Cf. Martine RÈMOND-GOUILLOUD, *op. cit.*, et Marie-Angèle HERMITTE, « Pour un statut juridique de la diversité biologique », in *Revue française d'administration publique*, n° 53, janv.-mars 1990.

chantier sous la responsabilité des agences spécialisées de l'ONU comme l'UNESCO (par exemple le programme *L'Homme et la biosphère*), la FAO, l'OMS et l'OMM. Enfin, des unions scientifiques mondiales ont récemment élaboré deux programmes d'étude du changement de l'environnement planétaire *(Global Change)*, relevant l'un des sciences naturelles et biologiques, l'autre des sciences sociales. Depuis 1985, on a pu voir se dérouler un grand nombre de réunions et de conférences mondiales [32], des protocoles ont été signés et il ne se passe plus une semaine sans que soit annoncée une nouvelle initiative relative à la protection de l'environnement. « Il s'agit, écrit Guy Béney, en une décennie de renforcer de façon décisive la recherche en sciences de la Terre et du vivant : perfectionnement des modèles de simulation de l'environnement global, mise en place de systèmes de surveillance continue (réseaux de satellites en orbite polaire ou géostationnaire...) qu'intégrera un observatoire international. Un véritable contrôle planétaire s'installe en vue de "gérer la Terre" [33]. » Les travaux portant sur les perturbations de la biosphère (trous dans la couche d'ozone, effet de serre, déforestation, etc.) sont en effet influencés par « l'hypothèse Gaïa » formulée en 1979 par un chercheur britannique, James Lovelock. En utilisant le nom grec de la divinité

---

32. Maurice BERTRAND, « Un plan mondial pour sauver la planète », *Le Monde diplomatique*, août 1989, p. 32.
33. Guy BÉNEY, « La citoyenneté au risque de l'écologie globale », *Sretie info.*, oct. 1989, p. 29.

antique de la Terre, mère des dieux, celui-ci décrivait notre planète comme un être vivant personnifié et « comme une entité complexe comprenant la biosphère terrestre, l'atmosphère, les océans et la terre ; l'ensemble constituant un système de *feedback* ou cybernétique qui recherche un environnement physique ou chimique optimal pour la vie sur la planète [34] ». Dans ce cadre, la biosphère elle-même constituerait un système autorégulé extrêmement complexe et la vie sur Terre, notamment l'action des hommes, contribuerait à créer et entretenir ses propres conditions de vie (par exemple, la régulation de la température). Ainsi, en altérant profondément quelques-uns des cycles chimiques les plus importants de la planète, l'homme pourrait provoquer des réactions en chaîne imprévisibles et ne pas trouver nécessairement sa place dans le nouvel équilibre du système Gaïa. L'écologie scientifique traditionnelle, qui se consacrait à l'étude des écosystèmes, a donc connu un nouveau souffle par le dépassement du cloisonnement disciplinaire des sciences de la Terre. Ces savoirs se cumulent à présent en une écologie globale dont se réclament un nombre croissant de chercheurs [35]. Son champ planétaire entre en résonance avec la déclaration des chefs d'État de La Haye, « Notre pays, c'est la planète ».

---

34. James E. LOVELOCK, *La Terre est un être vivant*, Éd. du Rocher, Monaco, 1986 (traduction française), p. 32. Les théories de Lovelock peuvent s'apparenter à l'organicisme cher à certains écologistes du début du siècle, tel F.E. Clements.

35. Cf. Jacques ROBIN, « Le choix écologique », *Le Monde diplomatique*, juil. 1989.

L'écologie globale est d'autant plus séduisante qu'elle paraît prendre l'avantage sur une science qui avait jusqu'ici privilégié la recherche militaire et la surexploitation des ressources naturelles. En se donnant pour mission la défense de la planète considérée comme un être vivant, elle assurerait le dépassement des égoïsmes nationaux et renouerait avec le vieil idéal mondialiste qu'exprimaient, il y a déjà quinze ans, ces propos de Philippe Saint-Marc : « Le rapprochement des hommes pour protéger l'homme doit faire éclater les nationalismes. Oublier les querelles ancestrales, les rivalités idéologiques, dépasser l'antagonisme Est-Ouest dans un commun effort, exalter dans l'homme ce qu'il y a de plus généreux, c'est jeter les bases d'une nouvelle organisation internationale, fondée non plus sur l'équilibre de la peur mais sur la sauvegarde d'un bien collectif : que tous les pays fassent la guerre à la pollution et ils penseront moins à la faire entre eux[36]. » La fin de la course aux armements et la définition d'un « développement durable », c'est-à-dire ne portant plus atteinte à l'environnement, étaient également en 1988 au cœur des thèmes du rapport Brundtland publié par la Commission mondiale pour l'environnement et le développement, mais les moyens pour atteindre ces objectifs n'apparaissaient pas très clairement. René Dumont répète quant à lui depuis de longues années qu'il faudrait, pour ce faire, rééquilibrer le rôle tout-puissant du marché, bouleverser les rapports

36. Philippe SAINT-MARC, *op. cit.*, p. 339.

Nord-Sud et contester l'hégémonie des complexes militaro-industriels. Or, devenue « science du temps[37] » et se donnant pour tâche prioritaire de maintenir la planète habitable, l'écologie a laissé dans l'ombre ces questions et, plus généralement, le débat sur les différentes manières d'habiter le monde. C'est déjà ce que redoutait en 1973 Ivan Illich lorsqu'il écrivait : « La fascination provoquée par la crise écologique a limité la discussion sur la survie à la considération d'un seul équilibre, celui que menace l'outil polluant[38]. »

De plus en plus insécurisés, des individus en plein désarroi sont en effet tentés de demander aux praticiens de l'écologie de leur fournir des réponses rapides et efficaces. Dans la conscience planétaire en gestation, sur quoi fondera-t-on alors le nouveau contrat des hommes avec la nature que les auteurs les plus divers appellent aujourd'hui de leurs vœux[39] ?

---

37. Georges BALANDIER, *Le Détour*, Fayard, Paris, 1985, p. 176.
38. Ivan ILLICH, *La Convivialité*, *op. cit.*, p. 77.
39. Des experts internationaux, notamment des responsables du programme *Human Dimension of Global Change* (HDGCP) patronné par l'ONU, ont pris position pour un « nouveau contrat social à l'échelle du globe ». « Une relation nouvelle qui soit moralement, économiquement et écologiquement viable s'impose entre l'espèce humaine et son environnement », écrivaient par exemple Ian BURTON et Peter TIMMERMAN dans « Les dimensions sociales des changements de l'environnement planétaire : responsabilités et possibilités », *Revue internationale des sciences sociales*, n° 121, août 1989, p. 322. Le Soviétique Nikita N. MOISEEV écrivait quant à lui : « Nous devons élaborer la nouvelle morale d'un humanisme contemporain, éthique de cet âge dans lequel entre l'histoire de l'humanité, où la limitation de l'espace et des ressources, la fragilité de la biosphère même commencent à mettre un frein à la puissance toujours plus débridée de la civilisation », « Réflexion sur la noosphère : un humanisme pour notre temps », *Revue internationale des sciences sociales*, n° 122, nov. 1989, p. 666.

2

De la personne à la planète

Dans l'histoire de la pensée écologique, l'évocation de l'antagonisme entre la société et la nature débouche immanquablement sur la condition de l'homme moderne, question encore réactivée par l'incertitude et les menaces qui caractérisent le temps présent. La généralisation du marché et les mutations engendrées par la technoscience ont provoqué l'effritement des formes d'appartenances sociales traditionnelles. Dans le même temps, le recours à la nature est apparu aux individus comme la voie d'accès à une nouvelle identité. Nier la nature, c'est démultiplier en retour le contrôle social, écrivait voilà dix ans Bernard Charbonneau[1]. Et tout un courant d'écologie politique a prôné la « renaturation de l'homme » par la maîtrise de l'outil de production,

1. Bernard CHARBONNEAU, *Le Feu vert*, Karthala, Paris, 1980.

le rapport direct aux choses et aux êtres, la respiritualisation de la société. Ivan Illich avait montré, dans ses ouvrages, comment le mouvement de désapprentissage que la société moderne impose à l'homme pouvait se muer en redécouverte de la liberté. Cette rupture devait passer, selon lui, par la conquête de l'autonomie des personnes et des groupes de taille limitée à l'aide d'une organisation sociale et d'instruments de travail porteurs de convivialité[2]. Retrouver le contrôle de sa vie, privilégier l'être sur l'avoir furent alors des expressions qui résumèrent bien cette critique de l'homme étriqué et standardisé produit par les sociétés occidentales et qui trouve encore des échos aujourd'hui. « La découverte de soi aboutit à la personne, et la concurrence à l'individu », écrivait ainsi Theodore Roszak dans un ouvrage[3] qui devait marquer l'écologie et la contre-culture américaines tout en se plaçant explicitement dans la filiation de la pensée personnaliste d'Emmanuel Mounier[4]. Mais aujourd'hui, dans sa critique des conséquences du productivisme, la sensibilité écologique retient surtout de ce livre l'idée qui le sous-tend en permanence. Selon Theodore

2. Ivan ILLICH, *La Convivialité, op. cit.*, p. 45.

3. Theodore ROSZAK, *L'Homme planète*, Stock, Paris, 1980, p. 77.

4. « La personne s'oppose à l'individu en ce qu'elle est maîtrise, choix, formation, conquête de soi. Elle risque par amour au lieu de se retrancher. Elle est riche de toutes ses communions avec la chair du monde et de l'homme, avec le spirituel qui l'anime, avec les communautés qui la révèlent », Emmanuel MOUNIER, « Révolution personnaliste », *Esprit*, déc. 1934.

Roszak, la personne et la planète sont désormais menacées par le même ennemi, le gigantisme des choses, celui des structures industrielles, des marchés mondiaux, des villes, des réseaux financiers et des institutions publiques et militaires. On peut d'ailleurs n'y voir que l'actualisation d'un très vieux thème que Jean Dorst formulait ainsi en 1965 : « Le vieux pacte qui unissait l'homme à la nature a été brisé, car l'homme croit maintenant posséder suffisamment de puissance pour s'affranchir du vaste complexe biologique qui fut le sien depuis qu'il est sur terre[5]. »

L'idée qu'il faut retisser des liens entre la personne et la planète menacées par des ennemis communs sert donc aujourd'hui de ciment à de nombreuses composantes de la sensibilité écologique dans le monde. Celles-ci tentent de retrouver dans la sauvegarde de la nature des bribes de sens pour les individus. Se mettent ainsi en place des processus identificatoires ou identitaires susceptibles de recréer des territoires, réels ou symboliques, dans lesquels les hommes puissent se reconnaître. Mais l'émiettement des modes de référence à la nature et l'exaltation de l'épanouissement personnel déterminent des dimensions multiples de l'écologie. Celle-ci peut mettre l'accent sur la vocation pédagogique de la protection de la nature avec, par exemple, le commandant Cousteau. Elle

---

5. Jean DORST, *La Nature dénaturée*, Points/Delachaux et Niestlé, Paris, 1970 (réédition), p. 12.

peut être axée sur l'hédonisme et la recherche de la vie saine ou s'attacher plus particulièrement à la spiritualité avec les mouvements liés au « Nouvel Âge ». En restant tout à la fois ouverts et flous, les contours des composantes de la sensibilité écologique moderne dessinent un véritable syncrétisme.

Les habits verts du commandant Cousteau

L'impact des campagnes du commandant Cousteau visant à protéger les mers et l'Antarctique de l'exploitation humaine illustre la séduction qu'exerce aujourd'hui, en Occident, la défense d'une nature entendue comme bien commun planétaire. Cette conception tend, nous l'avons déjà vu, à devenir le plus petit commun dénominateur de toutes les composantes de la sensibilité écologique, au nom de l'urgence et du pragmatisme. Mais l'exemple de la Fondation Cousteau montre que cela n'exclut pas la critique du productivisme, des gaspillages engendrés par les modes de vie modernes et de l'écrasement des singularités culturelles.

Jacques-Yves Cousteau, comme René Dumont, représente un genre particulier de savant dont l'âge et la connaissance du terrain ont semblé garantir la sagesse et l'indépendance. Ces deux hommes ont, chacun dans leur registre, ajouté une dimension morale au discours scientifique, et réussi à incarner d'autant mieux la compétence et la lucidité qu'ils ont multiplié depuis fort longtemps les critiques envers les gouvernements. Violemment opposé au libéralisme, René Dumont n'hésite pas à prendre des positions politiques radicales et à jouer le rôle courageux de l'annonciateur de catastrophes. Au contraire, Jacques-Yves Cousteau, s'il dialogue volontiers dans la presse avec les dirigeants, répugne à mettre directement en avant ses positions politiques et préfère user d'admonestations morales. On apprendra ainsi qu'il condamne l'effacement des grandes « valeurs » que constituaient la religion, la famille et la patrie. De la même manière, l'hédonisme, l'individualisme et le culte de l'argent des sociétés « développées » l'inquiètent[6] et il estime « qu'il faudra trouver une façon de vivre complètement différente, qui sera probablement beaucoup plus satisfaisante pour les individus[7] ». Mais, pour se faire entendre, il a généralement préféré revêtir la tunique d'un éducateur et incarné ainsi, nous allons le voir, une vision douce, médiatique et pédagogique de l'écologie qui en a fait l'un des hommes les plus populaires de France.

Cette popularité n'est pas récente. Depuis plus de quarante ans, l'ancien militaire qu'est le com-

---

6. Interview de Jacques-Yves COUSTEAU, « Éduquer le public », in *Calypsolog* (journal de la Fondation Cousteau), avril 1989, n° 78, p. 5.
7. « Rocard-Cousteau », *L'Express*, art. cité, p. 30.

mandant Cousteau a expérimenté des techniques de plongée et des caméras sous-marines dans le but pacifique de faire découvrir la mer au public. Ses films, notamment le *Monde du silence* (palme d'or du festival de Cannes en 1956) et ses séries diffusées par la télévision, ont connu des succès considérables. Aujourd'hui, la Fondation Cousteau compte 75 000 membres en France et 240 000 aux États-Unis après avoir consacré ses nombreuses activités à s'opposer à l'exploitation anarchique des eaux marines. « Ne renouvelez pas aux dépens des océans le mythe d'un sous-sol inépuisable », n'a-t-elle cessé de proclamer. La campagne entreprise pour empêcher l'exploitation minière de l'Antarctique par les grandes compagnies internationales a ainsi constitué le prolongement de ces actions. La pétition de la fondation, qui proposait de faire de ce continent la première réserve naturelle mondiale, a connu en France un énorme retentissement. Près d'un million et demi de personnes ont signé un texte qui a reçu le soutien d'hommes politiques de toutes opinions, de médias comme Europe 1 et d'organisations professionnelles comme la Fédération des syndicats de pharmaciens. Cet œcuménisme pour « garder un bout de planète intact [8] » est caractéristique d'une sensibilité qui se veut pragmatique et planétaire [9]. On peut d'ailleurs remarquer que,

8. « Rocard-Cousteau », *L'Express*, art. cité, p. 31.

9. Voici plus de quarante ans, une autre pétition avait connu en France un plus grand succès encore, avec 6 millions de signataires. Il s'agissait d'une initiative lancée par les communistes à la suite de l'appel

parmi les mouvements écologiques, seule la Fondation Cousteau est parvenue à ce jour à réunir les conditions nécessaires pour transformer le problème de l'Antarctique en « grande cause nationale », ralliant le gouvernement français et mobilisant également la grande presse nationale. Pour atteindre ce résultat, il aura fallu non seulement la caution scientifique d'un savant-explorateur appelant les gouvernements à s'opposer au pillage d'un patrimoine commun, mais aussi son sens des relations publiques et du recours aux institutions.

Ces atouts ne sont pas réunis par les autres mouvements écologistes français, jusqu'à présent incapables d'organiser de très importantes manifestations nationales, et plus efficaces à mobiliser les citoyens dans les luttes locales ou régionales les concernant comme habitants de territoires particuliers. Ainsi, par exemple, la destruction des forêts tropicales de la planète, pourtant lourde de conséquences écologiques, n'a jamais provoqué de mobilisation analogue malgré les efforts de plusieurs mouvements. Comme les grandes organisations écologiques anglo-saxonnes, la Fondation Cousteau accorde une importance particulière à son action commerciale et financière. Le commandant ne répugne pas à se transformer en homme d'affaires pour faire vivre son mouvement (entiè-

---

de Stockholm demandant l'interdiction des armes nucléaires dans le monde et qui se réclamait également de la conscience planétaire.

rement autofinancé) et assurer sa mission d'éducation. Récemment élu académicien, Jacques-Yves Cousteau a attaché son nom à la conception du Parc océanique qui a ouvert ses portes aux Halles de Paris en juillet 1989 [10]. Son fils en a, lors d'un entretien, expliqué ainsi les buts : « Nous avons voulu faire pour la mer ce que Disney a réalisé en mettant le monde de la fantaisie à la disposition du public [...]. Nous avons utilisé nos compétences dans le domaine de l'audiovisuel pour recréer cet univers sous-marin que nous explorons depuis quarante ans [...]. Les gens protègent ce qu'ils aiment. C'est sans doute le message philosophique le plus important du Parc océanique. » Jean-Michel Cousteau terminait alors en affirmant que celui-ci était le prolongement de l'action de la Fondation Cousteau et qu'elle espérait en ouvrir d'autres [11]. Cette vocation pédagogique est également de plus en plus présente dans les parcs nationaux et dans les parcs naturels régionaux français : il s'agit d'apprendre aux citoyens, par des moyens appropriés, à bien se comporter dans la nature et à l'aimer. Ceux qui, dans les années cinquante et soixante, travaillèrent à la création des premiers parcs nationaux, les

---

10. L'organisation par Brice Lalonde, secrétaire d'État à l'Environnement, d'un colloque sur « l'écologie et le pouvoir », les 13, 14 et 15 décembre 1989, au Parc océanique, a constitué une véritable consécration pour ces installations. Pas moins de douze ministres ont assisté à des travaux ouverts par François Mitterrand et clos par Michel Rocard.

11. « Le Parc océanique. Mode d'emploi », entretien avec J.-M. COUSTEAU, in *Calypsolog*, juil.-août 1989, p. 4 et 5.

concevaient au contraire comme un dispositif thérapeutique, antidote de la civilisation industrielle. La sauvegarde de la nature s'identifiait alors au sauvetage de l'homme [12].

Faire aimer la nature : on ne saurait se trouver en désaccord avec un tel objectif ; mais à quel prix ? est-on tenté d'ajouter. Tant se multiplient à présent les ouvertures de parcs divers, privés ou publics, qui prétendent faire découvrir à ceux qui les visitent une culture locale en voie d'extinction ou un environnement mis en vitrine. Ces espaces aménagés s'ajoutent ainsi à la nature sans hommes des zones désertifiées, des réserves nationales et des conservatoires en tout genre. La nature s'y trouve comme personnalisée, transformée en sujet de droit par des mesures de protection juridique. Ce faisant, on déploie des moyens techniques souvent exceptionnels et ultramodernes pour sauver des espèces en danger. Ne risque-t-on pas ainsi de laisser de côté la nature commune, anthropisée et vouée à la pollution ou à l'enlaidissement quotidien ?

Le recours à la nature

La demande de nature qu'exprime la sensibilité écologique contemporaine doit beaucoup à la

---

12. Émile LEYNAUD, *L'État et la nature ; l'exemple des parcs nationaux français*, Parc national des Cévennes, 1985, p. 29.

recherche d'identité qui travaille des sociétés occidentales largement structurées par la consolidation de l'individualisme et la quête de l'épanouissement personnel. Dès les années soixante-dix, les formules « éco » se sont multipliées et ont valorisé le retour à des manières de vivre plus naturelles, les réactions à la standardisation des besoins et des consommations ainsi que le développement d'un nouvel imaginaire que Georges Balandier a décrit ainsi : « Les nuisances et la pollution progressent en dégradant les espèces végétales, en agressant tout ce qui est doté de vie animale ; une nouvelle imagerie du mal et de la fatalité en procède, remplaçant les entités de naguère. L'eau (suspecte), l'air (impur), la lumière solaire (voilée) et la nourriture (falsifiée) peuvent devenir les figures d'une symbolique négative[13]. » De son côté, Gilles Lipovetsky a montré comment l'individualisme contemporain et le souci de protection de la nature pouvaient aller de pair en soulignant combien la sensibilité post-moderne en quête d'identité et de communication était préoccupée par l'idée des destructions irréversibles subies par le patrimoine culturel, architectural, végétal, etc.[14]. Se sont progressivement conjugués le souci de préserver la nature et l'environnement humanisés par les siècles, la nourriture saine et les traditions culinaires,

13. Georges BALANDIER, *op. cit.*, p. 176.
14. Gilles LIPOVETSKY, *L'Ère du vide*, Gallimard, Paris, 1983, p. 30 et 31. Voir aussi, sur la conservation culturelle des objets et coutumes, Henri-Pierre JEUDY, *Mémoires du social*, PUF, Paris, 1986.

la pureté des rivières et la Loire, dernier « fleuve sauvage » de France menacé par les barrages.

On assiste ainsi à la multiplication de « nouvelles utilisations, pour la plupart ludiques, d'une campagne ensauvagée[15] ». Mais ce mouvement ne doit pas faire oublier que l'industrialisation et l'urbanisation avaient déjà suscité, depuis le siècle précédent, un intérêt particulier pour la nature de la part de certaines catégories sociales. Des mouvements et des organisations aussi divers que le Club alpin français ou, plus récemment, les Auberges de jeunesse et le naturisme, pour ne prendre que quelques exemples, ont conçu la nature comme régénératrice, support du dépassement sportif et lieu où l'homme se retrouve face à lui-même. Aujourd'hui, les préoccupations qui étaient à l'origine de ces mouvements ont connu une formidable amplification, tout en se transformant peu à peu. De la randonnée contemplative à la performance physique, en passant par le gymnase pour s'y préparer, des thérapies de l'âme aux médecines douces, le recours à la nature a déterminé la pratique d'une « culture de soi ». Celle-ci s'est épanouie en ce début de décennie avec la réhabilitation du local, des racines, des particularismes et la multiplication des réseaux. En témoigne le nombre des magazines qui traitent de thèmes divers, alliant la connaissance de la

---

15. Bernard KALAORA et Raphael LARRERE, *État des lieux : le sociologue et la nature*, INRA, Rungis, 1986, p. 1.

nature à celle des cultures locales, la dénonciation des pollutions à celle des aménagements peu respectueux de l'environnement. On y trouvera aussi des conseils en vue d'une consommation plus saine, pour découvrir des activités et des modes de vie nouveaux ainsi que des informations sur les démarches spirituelles les plus diverses.

Ces évocations de la nature peuvent se fonder sur des conceptions parfaitement contradictoires. Par exemple, le tourisme « vert » (vacances à la ferme, randonnées pédestres, cyclotourisme, voyages en roulottes, chantiers de jeunes, découverte de la faune et de la flore, etc.) se pratique au nom de la recherche de l'authenticité, d'un mode de vie plus lent et proche de la nature [16]. Mais ces formes de tourisme peuvent fort bien s'accompagner d'une débauche d'achats d'équipements toujours plus sophistiqués par des consommateurs peu désireux d'expérimenter jusqu'au bout les mérites de l'austérité. Il est donc parfois difficile de savoir ce qui l'emporte, du rapport à la nature ou du rapport à l'objet, dans ces pratiques écologiques, comme le montre la vogue de l'ornithologie aux États-Unis (voir encadré). On trouvera aussi une utilisation plus guerrière de la nature, axée sur un dépassement de soi dans et par la compétition avec les autres, avec les « week-ends de survie » ou les raids organisés par les entreprises à l'usage de

16. Cf. par exemple le *Guide des vacances écologiques 1989*, Éd. du Fraysse, Castelnau-Montratier.

Les Américains ouvrent la cage aux oiseaux

Washington, correspondance

Les beaux jours sont revenus et, avec eux, le gazouillis des oiseaux, mais qu'on entend sur un fond sonore de tiroir-caisse. En effet, après le jardinage, l'observation des oiseaux est, aux États-Unis, la plus populaire activité des loisirs. D'après la société Audubon, on compte aujourd'hui plus de vingt et un millions d'Américains prêts à dépenser beaucoup d'argent pour leur distraction favorite. Les plus pauvres se contentent d'acheter des graines, du mouron pour les petits oiseaux.

Selon les statistiques officielles, près de soixante-trois millions d'Américains, un tiers de la population, dépensent plus de 500 millions de dollars par an (3 milliards de francs environ) en graines, laissées dans des récipients de diverses formes protégeant les oiseaux des écureuils ou dans des abris où les oiseaux peuvent se loger, se baigner... En tout cas, les amis des oiseaux ne lésinent pas quand il s'agit du bien-être de leurs petits protégés.

L'arrivée du printemps crée une sorte de fièvre chez les observateurs d'oiseaux, et, par centaines, ils sortent dans les champs et les forêts, et même se déplacent loin pour assister au départ de la migration de certaines espèces connues, comme celle de la fauvette. Ceux-là n'hésitent pas à s'offrir l'équipement le plus perfectionné ; en plus des indispensables jumelles, dont les prix varient entre 70 et 500 dollars, les plus riches achètent des machines électroniques, certaines portatives, grâce auxquelles ils peuvent non seulement entendre les oiseaux, mais aussi les voir sur de petits écrans... Toute une industrie s'est développée, avec des vidéocassettes à des prix atteignant jusqu'à 125 dollars.

Jusqu'aux pingouins et aux albatros

La clientèle s'est élargie ; il n'y a pas que des boyscouts ou des aristocrates excentriques parmi les amis des oiseaux, mais des universitaires, des médecins, des avocats, des commerçants. Aussi, les magazines spécialisés ont plus que triplé leurs ventes, et des ouvrages indispensables, comme les guides ou les répertoires, communément appelés les « bibles de l'observateur », se vendent par centaines de milliers, rapportant quelque 18 millions de dollars à leurs éditeurs.

Des gens encore plus aisés peuvent s'inscrire dans des cours d'ornithologie par correspondance, mais, surtout, partir à l'aventure dans des voyages organisés. Chaque année, des milliers d'Américains dépensent 4 milliards de dollars environ dans ces voyages aux États-Unis mais aussi à l'étranger. L'Amérique du Nord ne compte en effet qu'un dixième des espèces, et c'est pourquoi des observateurs s'en vont très loin, en Afrique, en Asie ou même dans l'Arctique ou l'Antarctique par exemple, pour observer des espèces plus rares, comme des pingouins ou des albatros... Ces expéditions coûtent cher, et, finalement, cette distraction favorite représente une grosse affaire commerciale.

L'observation des oiseaux est devenue un *big business*, mais, jusqu'à nouvel ordre, les chants du rossignol, du pinson, le spectacle des geais bleus ou du cardinal rouge dans les jardins américains sont gratuits...

Henri Pierre, *Le Monde*, 19 avril 1990.

leurs cadres. La nature, alors fantasmée comme une jungle, y sert de support à des actions visant à façonner la cohésion d'un groupe et à le préparer à la guerre économique[17].

Sous ces formes syncrétiques, la sensibilité naturaliste actuelle fait donc la part belle à une écologie hédoniste et à une écologie de la consommation. Toutefois, on aurait tort de croire que ces dernières excluent pour autant toute référence à la société et au monde et reposent exclusivement sur des comportements individualistes. Les exemples de la diététique ou de la production et de la consommation de produits biologiques peuvent témoigner de cette situation. Quoi de plus caractéristique de nos sociétés de consommation occidentales que l'extension des marchés liés à ces pratiques ? Revues et boutiques spécialisées dans l'alimentation saine, circuits parallèles de distribution du producteur au consommateur et rayons entiers de supermarchés offrent aujourd'hui aux individus la possibilité de consommer « autrement ». Or, bien souvent, le développement même de ces marchés n'est pas séparable de l'expression de préoccupations politiques et sociales ou de l'évocation des droits à la vie et à la nature pour tous les hommes. On trouvera ainsi un humanisme caractéristique de la sensibilité éco-

17. Cf. « Le temps des commandos », in *L'Impatient*, juil.-août 1989, p. 60, ou « Les cadres en séminaires de transpiration avec mère Nature », in *Libération*, 26 juin 1989, p. 15.

logique actuelle dans ce passage de l'éditorial d'une revue de diététique distribuée gratuitement dans les boutiques spécialisées. « Ce n'est pas la diététique qui rendra l'homme sain, mais c'est nous qui devons rendre la diététique saine, c'est-à-dire idéaliste et porteuse d'une conscience collective qui inclut le respect de la terre et de ses habitants : humains, végétaux et autres ont bien les moyens de s'épanouir sans se détruire. Utopie ? Bien sûr, pour ceux qui ne veulent penser qu'à eux-mêmes ; mais à mon avis il est bien plus utopiste de s'imaginer pouvoir continuer à vivre dans son trou en se moquant du monde, sans tôt ou tard devoir supporter les conséquences de cet égocentrisme pernicieux [18]. » De son côté, Nature et Progrès, « association européenne d'agriculture et d'hygiène biologique » créée en 1964, est sans doute le groupe le plus important et le plus reconnu œuvrant au développement de l'agriculture biologique pour « concilier quantité et qualité, préserver l'environnement, la santé et les ressources naturelles [19] ». Cette association conjugue des activités commerciales, techniques, politiques et sociales par le biais de la revue, du label qu'elle décerne garantissant l'origine biologique des produits, de ses groupes régionaux et des manifestations qu'elle organise (foires, expositions,

18. « La diététique : le luxe de ceux qui n'ont plus faim ? », *Le Lien*, n° 24, 18 oct. 1989, p. 2.

19. Présentation du mouvement en en-tête des numéros de sa revue.

conférences, marchés biologiques, congrès, salon Marjolaine à Paris). Lors de ces manifestations, se côtoient sur les stands les livres à caractère technique et ceux qui relèvent d'une écologie politique souvent radicale. Selon *Nature et Progrès*, on ne peut séparer la question de la qualité de l'alimentation de la critique des conséquences du productivisme et de l'artificialisation de la production agricole en matière de pollutions, de déprise agricole et de désertification rurale[20]. Dans le même ordre d'idées, de nombreux mouvements ont relié les problèmes de santé que connaissent les humains aux pollutions qui ont frappé la terre et l'atmosphère. Contre les substances « artificielles » de la médecine allopathique, les thérapies « douces » ou « alternatives » ont connu des succès croissants par le recours aux divers produits de la terre, contribuant ainsi à répandre l'idée que toute vraie santé vient de la terre[21] et que, de la personne à la planète, c'est de la même santé qu'il s'agit.

La conscience planétaire

La recherche de liens entre la personne et la planète constitue aussi la préoccupation centrale d'une composante de la sensibilité écologique

20. Cf. par exemple, Philippe NOËL, « Pour une "reprise" des terres », in *Nature et Progrès*, nov.-déc. 1988, p. 7-8.
21. Ce dont témoigne l'étonnant succès des livres de Rika Zaraï.

exprimée par des mouvements spiritualistes. La nature et le cosmos ont été depuis longtemps des expressions du sacré pour l'homme religieux[22]. Mais, pour l'homme sans qualités des sociétés modernes massifiées et privées de toute référence à une quelconque transcendance, ils peuvent aussi constituer des sources de réenracinement, de rupture avec une vie sociale surorganisée et de « réenchantement du monde[23] ». L'écologiste Robert Hainard exprimait cette idée en ces termes : « Seul, l'amour de la nature, son respect, sa contemplation, son étude peuvent nous fournir un système de nécessités non plus subies, mais acceptées, aimées. Parce que nous n'avons pas fait la nature, elle est pour nous une révélation, un émerveillement inépuisable. L'amour de la nature est seul capable de limiter dans un but positif, la course dévorante à la puissance économique[24]. » Dans le prolongement des propos de Robert Hainard, l'écologie spiritualiste va insister sur l'idée que la consistance des êtres se trouve dans le maintien d'une tension permanente entre les deux pôles fondamentaux de la vie : la nature et la technique. Cela n'est pas sans évoquer l'approche d'Émile Durkheim selon laquelle toute vie sociale s'alimente à une expérience religieuse, qu'incarne

---

22. Cf. Mircea ELIADE, *Le Sacré et le Profane*, Gallimard, Paris, 1983.
23. Serge MOSCOVICI *in* Jean-Paul RIBES, *Pourquoi les écologistes font-ils de la politique ?*, *op. cit.*
24. Robert HAINARD, « Expansion et nature », *Le Courrier du livre*, 1972, p. 19.

ici l'enchantement de la nature, source d'énergie et de représentations collectives. La protestation contre un monde dominé par la raison instrumentale a engendré la multiplication de formes d'expression que Françoise Champion qualifie de « religieux flottant » et qui se développent avec la perte d'emprise des grandes institutions religieuses [25]. Y sont valorisés les manifestations des émotions, de l'authenticité, mais aussi les besoins de sociabilité et de sens et la volonté de conjuguer l'universel (ou le planétaire) et les différences.

Le recours à la nature et l'expression de la conscience planétaire s'intègrent à ce phénomène social qui exalte dans le même temps le droit à l'accomplissement personnel et au bonheur ici-bas. On y reconnaîtra d'ailleurs l'aboutissement de mouvements qui travaillent les sociétés occidentales depuis trois décennies. Raymond Aron signalait ainsi dans les années soixante que les individus de ces sociétés aspiraient non seulement à l'égalité, mais à la personnalité : « Après la croissance de la production, œuvre collèctive, l'angoisse de la masse "manipulée" ou de la rationalité tyrannique, dans lesquelles disparaîtrait la personne "irremplaçable" [26]. » La lutte contre le gigantisme évoquée aux États-Unis par Theodore Roszak en 1978 procède bien de cette logique.

---

25. Françoise CHAMPION et Danièle HERVIEU-LÉGER (sous la direction de), *De l'émotion en religion*, Éd. du Centurion, Paris, 1990, p. 68.
26. Raymond ARON, *Les Désillusions du progrès*, Calmann-Lévy, Paris, 1969, p. XVI (préface).

« En nous efforçant de préserver notre personnalité, nous luttons pour cette échelle humaine. En luttant pour cette échelle humaine, nous détruisons le régime du gigantisme. En détruisant le gigantisme, nous sauvons la planète [27]. » Ce combat était, selon cet auteur, celui des mouvements américains de la « contre-culture » qui, communiant avec la nature, souhaitaient étayer et prolonger les aspects rationnels de l'écologie par la transformation des consciences d'un nombre suffisant d'individus pour provoquer un renouveau de la société. Selon ceux qui se revendiquent comme partie prenante du « Nouvel Âge » ou de la « Conspiration du Verseau », le monde extérieur n'est qu'une projection de ce que nous sommes et on ne peut le rendre meilleur qu'en s'améliorant soi-même. La vraie révolution est d'abord intérieure, d'origine psychique et mentale. « Le paradigme de la Conspiration du Verseau conçoit l'humanité comme enracinée dans la nature et encourage l'individu autonome dans une société décentralisée en nous considérant comme des intendants de toutes nos ressources, extérieures et intérieures », écrivait en 1980 Marilyn Ferguson [28]. Pour elle, l'outil de la transformation de la société ne réside plus dans les communautés traditionnelles contraignantes (par exemple la

---

27. Theodore ROSZAK, *op. cit.*, p. 85.
28. Marilyn FERGUSON, *Les Enfants du Verseau*, Calmann-Lévy, 1981, p. 23.

famille), mais dans les réseaux. Ces derniers constituent des systèmes ouverts, souples, « conscients », malléables, utilisant les techniques modernes de communication, très bien insérés dans la société et appelés à se multiplier. En 1980 également, Roland de Miller décrivait, en France, le même phénomène en ces termes : « Dépassant le militantisme écologique et politique pour célébrer le sacré sauvage en dehors de toute institution, ceux qu'on appelle les mutants (parce qu'ils changent ou ont changé leur manière de vivre) travaillent déjà à cette révolution de conscience. Ils s'organisent en réseaux parallèles pour établir une société communautaire, décentralisée, non violente et conviviale[29]. »

Si le mouvement communautaire a aujourd'hui marqué le pas, la visite de grandes manifestations parisiennes à vocation écologique telles que « Marjolaine », « Vivre et travailler autrement », ou en province de fêtes écologiques convainc que fleurissent en revanche les réseaux. Ils regroupent ceux qui estiment que nous sommes entrés dans une ère impliquant une transformation fondamentale de la conscience des individus, de la communication avec leurs semblables et de leur relation avec la planète. La nébuleuse du « Nouvel Âge » rassemble aujourd'hui les groupes et les personnes qui, s'inscrivant dans cette recherche, en appellent à

---

29. Roland DE MILLER, *Nature mon amour. Écologie et spiritualité*, Éd. Debard, Paris, 1980, p. 11.

une approche globalisante (holistique) des problèmes et au rapprochement de la science et de la conscience. Selon Jean-Louis Schlegel, « l'idée qui prime est la réconciliation. Avec soi, avec les autres, avec la nature. Fini le désenchantement, il faut "réenchanter" la nature [30] ».

Le salon Marjolaine de novembre 1989, organisé par Nature et Progrès sur le thème des « racines d'une nouvelle conscience planétaire », a regroupé une partie de ces mouvements qui proposent des approches philosophiques, des techniques et des thérapies empruntées aux divers héritages culturels de la planète. Cette nébuleuse mystico-ésotérique associe la recherche de l'équilibre psychique et du bien-être et « renoue avec les diverses protestations contre la modernité, peu ou prou inspirées de la tradition romantique [31] ». La référence aux traditions y fonctionne à la fois comme une demande de sens et une « boîte à outils » pragmatique. La vitalité et le dynamisme de ceux qui se réfèrent au « Nouvel Âge » ou à l'« ère du Verseau » se manifestent en France aujourd'hui par le fait qu'Albin Michel, Belfond et « J'ai lu » leur ont récemment ouvert leurs collections et également par la multiplication d'ouvrages édités par de plus petites maisons d'édition [32].

---

30. Jean-Louis SCHLEGEL, « Un Dieu sans frontière », *Télérama* du 10 au 16 nov. 1990, p. 16.

31. Françoise CHAMPION et Danièle HERVIEU-LÉGER, *op. cit.*, p. 12.

32. Parmi celles-ci on peut citer : les éditions Dangles (Saint-Jean-de-Braye), Arista (Plazac), du Rocher (Monaco), du Trigramme (Paris),

Cette composante de la sensibilité écologique qui prétend dépasser les aspects purement individualiste, hédoniste et consumériste que nous avons mentionnés, est elle-même une mouvance hétérogène. Une partie de ses adeptes peut fort bien entretenir des affinités tantôt avec des aspects environnementalistes, tantôt avec des aspects politiques de l'écologie. C'est pourquoi les manifestations écologiques sont souvent caractérisées par la cohabitation de courants aux frontières parfois imprécises (voir encadré). Mais ce qui fait aujourd'hui la force de ceux qui en appellent à une écologie de la « conscience planétaire » est la jonction opérée sous différentes formes avec les scientifiques. Celle-ci a été rendue possible par la diffusion très large de l'hypothèse Gaïa, prélude à une personnification de la planète Terre de plus en plus souvent dépeinte comme un organisme vivant souffrant des agressions humaines. Ainsi, la représentation de la biosphère (au sens le plus large du terme) comme un système complexe autorégulé intégrant l'homme et lui imposant des devoirs envers la nature a-t-elle fourni un substrat scientifique à ceux qui cherchaient à réactualiser par des voies diverses l'idéal de l'unité de l'humanité. On retrouve ici les accents de Pierre Teilhard de Chardin selon lequel l'humanité se dirigerait

---

L'Or du temps (Saint-Martin-Le-Vinoux), Recto-Verseau (Gaillard), Le Souffle d'or (Barret-le-Bas), Vie nouvelle (Valesville), Le Courrier du livre (Paris).

LES CONFÉRENCES

Salle	SAMEDI	DIMANCHE
Salle 1	**14 h 30 :** Le Tiers- Monde : coopérer autrement, par Henri Rouillé d'Orfeuil	**14 h 30 :** Plantes sauvages, comestibles et médicinales, par Sarah COUPLAN
Salle 1	**16 h 00 :** Quelle politique d'aménagement de La Loire ? par Bernard Rousseau, Association Loire Vivante	**16 h 00 :** Du salariat au participat, une nouvelle forme de solidarité, par Y. BRESSON
Salle 1	**17 h 30 :** L'Ozone, par Jean-Marc Heftler, Association Bulle Bleue	**17 h 30 :** La conscience de la géobiologie et la maison saine, par P. FOURREAU
Salle 2	**14 h 30 :** Les rêves, par Mariette Mignet	**14 h 30 :** Implication de la drogue dans notre société et dans le Tiers-Monde. Quelle alternative pour le Tiers-Monde ? par Marc GAUDIN de terre des hommes. C.I.M.A.D.E. et l'A.F.P.A.L.
Salle 2	**16 h 00 :** - Tai Chi Chuan (démonstration et vidéo), par Richard PORTEIL	**16 h 00 :** La pensée positive, par D. GOMART - PAQUET
Salle 2	**17 h 30 :** Pour une agriculture plus autonome et plus économe, par J.-M. MERCERON	**17 h 30 :** L'homéopathie et l'enfant, par le Dr FOURNIER et les laboratoires BOIRON
Salle 3	**14 h 30 :** Les qualités de l'eau, par D. BOUTIN	**14 h 30 :** La chiropractie, par le M. PARNY
Salle 3	**16 h 00 :** Cancer, Sida, la Biomédecine, une Ere nouvelle, par G. WEIDLICH, Association Cobra	**16 h 00 :** Vers un véhicule propre et non-polluant, par Michel HOUILLE
Salle 3	**17 h 30 :** Les algues dans notre alimentation, par Clotilde BOISVERT	**17 h 30 :** Le souffle - outil, un autre rebirth (atelier - discussion), par Daniel FARGEAS

A l'Orangerie du Château

10es
FETE ET FOIRE ECOLOGIQUES

de THOUARS – 79
les
7 et 8 Octobre 1989

organisées par
ECO FETE

Spectacles :

Jeudi 5 :
Jazz Braz Quartet

Vendredi 6 :
Julos BEAUCARNE

Samedi 7 :
Concert Bal Québécois
avec Rivière du Loup

Réservations :
Office de Tourisme 49 66 17 65

vers l'unification en un seul groupe partageant la même conscience (noosphère). « Que nous le voulions ou non, l'humanité se collectivise, elle se totalise sous l'influence de forces physiques et spirituelles d'ordre planétaire. D'où le conflit moderne, au cœur de chaque homme, entre l'élément, toujours plus conscient de sa valeur individuelle, et des liens sociaux, toujours plus exigeants[33]. »

Ainsi la tentative de retrouver des liens entre la personne et la planète qui caractérise la sensibilité écologique est-elle polymorphe. Et la nébuleuse mystico-ésotérique que nous venons d'évoquer illustre combien ce processus est marqué par les références à la science et à la tradition, comment il est aussi traversé conjointement par l'individualisme, la recherche de sens, voire d'un renouveau politique. Un tel syncrétisme ne peut manquer d'alimenter des interprétations différentes.

Ce double mouvement historique d'individualisme et de planétarisation de notre société qui favorise la polarité « ego-Géo » ne risque-t-il pas de déboucher sur un scientisme totalitaire? demande Guy Béney[34]. L'antihumanisme traditionnel des écologistes scientifiques selon lesquels l'homme est un élément perturbateur des écosystèmes se trouverait ainsi renforcé par la gravité de

---

33. Pierre TEILHARD DE CHARDIN, conférence prononcée en 1947 sur les droits de l'homme, in *L'Avenir de l'homme*, Paris, 1959. Cité par Alain LAURENT, *L'Individu et ses ennemis*, Hachette, Paris, 1987, p. 374.
34. Guy BÉNEY, « La citoyenneté... », *op. cit.*, p. 30 et 31.

la situation dans laquelle se trouve la planète, et la gestion écologique « salvatrice » nourrirait un fonctionnalisme autoritaire. Celui-ci réduirait à néant les espaces de liberté, profitant aux groupes les plus forts et aux pays technologiquement avancés. Se réaliserait ainsi la fresque planétaire de Pierre Teilhard de Chardin, mais dépourvue de dimension intérieure et comme réifiée par l'alliance de la science et du pouvoir. A l'inverse, Edgar Morin voit dans l'avènement d'une conscience planétaire la possibilité de resubstantialiser la tradition humaniste issue des Lumières : « C'est désormais sur cette Terre perdue dans le cosmos astrophysique, cette Terre "système vivant" des sciences de la Terre, cette biosphère-Gaïa, que peut se concrétiser l'idée humaniste de l'époque des Lumières, qui reconnaît la même qualité à tous les hommes. Cette idée peut s'allier au sentiment de la nature de l'ère romantique, qui retrouvait la relation ombilicale et nourricière avec la Terre-Mère. En même temps, nous pouvons faire converger la commisération bouddhiste pour tous les vivants, le fraternalisme chrétien et le fraternalisme internationaliste — héritier laïque et socialiste du christianisme — dans la nouvelle conscience planétaire de solidarité qui doit lier les humains entre eux et à la Nature terrestre [35]. »

35. Edgar MORIN, « Pour une nouvelle conscience planétaire », art. cité, p. 29.

3

L'écologie entre pragmatisme et politique

L'écologie associative

Le syncrétisme propre à la sensibilité écologique, que nous avons évoqué dans le chapitre précédent, concerne aussi le mouvement associatif qui, en France comme dans bien d'autres pays, réunit un large éventail de conceptions. S'y côtoient notamment ceux pour lesquels l'écologie consiste à protéger la nature contre les agressions de l'homme et ceux pour lesquels elle consiste à sauver également l'homme en inventant une culture qui intègre au mieux les données naturelles dans une réflexion sur le bonheur et la liberté humaine. Entre ces deux pôles, le souci de retrouver un autre équilibre avec la nature, la défense du vivant, de la diversité biologique et culturelle ou du cadre de vie constituent des thèmes suffisamment larges ou vagues pour servir de référence

Les associations écologiques

Le ministère de l'Environnement dénombre environ 5 000 associations de défense de l'environnement, comptant plusieurs millions de membres. Près d'une centaine seulement présentent une dimension nationale. Et beaucoup se trouvent être des structures provisoires et locales, comités de défense constitués à l'occasion d'un conflit ou regroupement des amis d'un site particulier, par exemple. Les associations nationales peuvent aborder tous les problèmes concernant l'environnement ou au contraire se spécialiser dans des problèmes particuliers. Mais même « généralistes », les associations se distinguent par leur sensibilité particulière à certains thèmes (comme on va le voir dans la liste qui suit*), leur type d'implantation, leur mode de fonctionnement et souvent leur conception de l'écologie.

• La Fédération française des sociétés de protection de la nature (FFSPN), appelée aujourd'hui France Nature Environnement (FNE), est la structure numériquement la plus importante. S'appuyant en particulier sur des structures fédératives régionales, elle rassemble 150 associations différentes et revendique un total de 850 000 membres ; elle est surtout animée par des naturalistes et traite de l'ensemble des domaines intéressant la protection de la nature.

• La Société nationale de protection de la nature,

---

* Il est évidemment impossible de citer ici l'ensemble des associations généralistes ». Outre notre propre travail d'enquête, nous avons eu recours ici au recensement entrepris par Pierre SAMUEL dans *Après Demain*, n° 310, janvier 1989.

ancienne Société d'acclimatation créée en 1854, est membre de FNE et la plus ancienne association écologique « généraliste ». « Elle se consacre à la conservation de la nature et de ses ressources et s'intéresse plus particulièrement à la protection des espèces animales ou végétales sauvages de notre pays et à la sauvegarde de leurs habitats naturels. » La SNPN compte dans ses rangs beaucoup de naturalistes, de gestionnaires divers, très présents dans les commissions consultatives locales et nationales.

• Les Amis de la Terre (3 000 membres, 80 groupes locaux) s'occupent beaucoup des problèmes techniques, industriels et économiques liés à la défense de l'environnement (pluies acides, disparition des forêts tropicales, usines et voitures « propres », phosphates dans les lessives, ozone de la stratosphère, gestion des déchets, etc.). Ils font porter leur réflexion sur une « troisième génération de droits », apportant plus de démocratie dans le choix des équipements et des techniques.

• Greenpeace, qui semble renaître en France après une éclipse, est renommée pour ses actions spectaculaires (ascensions de cheminées d'usines polluantes, actions de protestation contre les baleiniers, les rejets en mer de déchets toxiques et les essais nucléaires, etc.).

• Robin des Bois a repris ces actions spectaculaires, souvent orientées vers les problèmes de la mer et de protection de la faune.

• Le Fonds mondial pour la nature (WWF-France), s'est récemment implanté en France et s'intéresse particulièrement à la protection des espèces vivantes et aux problèmes d'aménagement de milieux particulièrement « sensibles » tels que les zones humides.

• La Fondation Cousteau (voir le chapitre 2).

• SOS Environnement s'occupe de la défense de l'environnement dans le cadre de vie quotidien (lutte contre le bruit, contre les risques industriels, pour les transports en commun...).

• Le Mouvement national de lutte pour l'environnement a été créé en 1981 dans le sillage du PCF et de la CGT. « Dénonçant les thèses passéistes, il est convaincu que les avancées des sciences et techniques doivent et peuvent permettre de donner à l'homme les moyens de s'épanouir dans un environnement qu'il maîtrise » (présentation du mouvement dans son journal). Il s'occupe particulièrement des pollutions d'origine industrielle, de la gestion des déchets, des énergies non polluantes (parmi lesquelles il range le nucléaire) et des forêts.

Les Amis de la Terre, Greenpeace, Robin des Bois et le WWF-France font partie de réseaux internationaux. De leur côté, de nombreuses associations spécialisées contribuent à la défense de l'environnement en s'attachant à des thèmes particuliers comme le spécifient le plus souvent leurs dénominations. Il est impossible d'en donner une liste exhaustive et on ne fera mention ci-dessous, à titre d'exemple, que de celles dont la revue *Combat Nature* a signalé l'activité dans sa rubrique *ad hoc*.

Association pour la protection des animaux sauvages ; Ligue pour la protection des oiseaux ; Fonds d'intervention pour les rapaces ; Truite, omble et saumon ; Rassemblement des opposants à la chasse ; Association nationale pour une chasse écologiquement responsable ; Collectif anti-décharges ; Association pour la promotion du papier recyclé ; Comité de liaison des énergies renouvelables (regroupement d'associations locales) ; Comité d'action par le solaire ; Association technique pour l'efficacité énergétique ; Bulle bleue (association traitant de la pollution atmosphérique) ; Association pour la protection contre les rayons ionisants (créée en 1962, elle figure parmi les associations les plus anciennes) ; Commission de recherche et d'information indépendantes sur la radioactivité (CRIIRAD) ; Groupement de scientifiques pour l'information sur l'énergie nucléaire (GSIEN) ; Société française pour le droit de l'environnement ; Nature et Progrès (agriculture biologique) ; Fédération nationale des associations d'usagers des transports (promotion des transports en commun, opposition à la pollution routière.) ; Fédération française de la randonnée pédestre ; Fédération des usagers de la bicyclette ; Ligue contre la violence routière ; Maisons paysannes de France ; Vieilles maisons françaises ; Association nationale des élus écologistes (ANEE) ; Entente nationale des élus de l'environnement (ENEE) ; Association des journalistes écrivains pour la nature et l'écologie.

Les associations de consommateurs sont souvent amenées à traiter de problèmes écologiques, tels que ceux qui concernent la qualité de l'eau. Les groupes tiers-mondistes sont très actifs dans la dénonciation de l'exploitation de la nature dans les pays pauvres (nous y reviendrons au chapitre 4). En France, l'opposition à des projets importants, qui mettent l'environnement en danger, est souvent menée par des coalitions. Le comité SOS-Loire vivante, formé pour s'opposer au plan d'aménagement de ce fleuve prévoyant la contruction dans son bassin de nombreux barrages, en constitue un cas exemplaire. Ce comité comprend ainsi les Verts, WWF-France, un groupe local des Amis de la Terre, cinq associations de FNE, une section départementale de Nature et Progrès, des associations régionales de naturalistes et d'ornithologistes, etc.

à une multitude de discours porteurs de projets, limités ou totalisants, parfois contradictoires. Bref, dix ans plus tard, on ne peut que souscrire à la définition que Dominique Simonnet donnait en 1979 de l'écologisme, « une synthèse évolutive de l'expression des sensibilités écologiques[1] » qui se rapporte plus que jamais à des pratiques fragmentées au point d'évoquer un catalogue (voir encadré page 72).

Il n'en reste pas moins que, par-delà cette diversité, l'associationnisme constitue un moyen privilégié d'expression des écologistes, animés plus que d'autres par la volonté de faire intervenir les citoyens dans la prise en charge des activités locales et la gestion directe des conflits. Et d'aucuns y voient d'ailleurs l'un des outils privilégiés des individus ou des collectivités dans la recherche d'une plus grande autonomie. A partir des années soixante, la multiplication des grands travaux et des implantations d'équipements a provoqué, en retour, une très nette augmentation du nombre des associations de défense de l'environnement en France[2]. Une grande partie de celles-ci devaient se regrouper, en 1968, dans la Fédération française des sociétés de protection de la nature (FFSPN) aux côtés de structures plus anciennes,

---

1. Dominique SIMONNET, *L'écologisme*, « Que sais-je ? », PUF, Paris, 1979, p. 8.
2. Cf. Claude-Marie VADROT, « Historique des mouvements écologiques », AFSP, journée « écologisme et politique » du 26 sept. 1980, reprographié.

notamment la Société nationale de protection de la nature (SNPN) née sous le Second Empire. Tout en maintenant leur diversité, ces associations ont su se réunir autour de chevaux de bataille qui ont constitué autant de combats fondateurs d'une identité commune. On pense notamment à la lutte pour la sauvegarde du parc national de la Vanoise, menacé en 1969 et 1971 par un projet de station de ski géante, dans laquelle se retrouvèrent une centaine de mouvements de défense de l'environnement. Au début des années soixante-dix, l'écologie revendiqua également ouvertement sa dimension politique. La candidature de René Dumont aux élections présidentielles de 1974 devait symboliser ce processus, mais c'est surtout la lutte contre les centrales nucléaires qui joua un rôle fédérateur en la matière. Et malgré leurs oppositions, l'écologie environnementaliste et l'écologie politique cohabitent aujourd'hui dans les structures associatives ou dans les colonnes de *Combat Nature*, revue œcuménique fondée en 1974 par la fusion de *Maisons et Paysages* et de *Mieux Vivre*. On y parle aussi bien des problèmes d'aménagement de la ville et de la campagne, des pollutions diverses, du nucléaire, de la chasse et de la protection des espèces, que de l'actualité internationale, des débats internes des Verts et de la société écologique de demain.

Le discours écologique a, depuis longtemps en effet, privilégié l'idée que le développement productiviste et l'exploitation de la nature ne pouvaient se prolonger sans menacer l'existence de l'homme. Pour les écologistes, prendre conscience des limites de l'action humaine revient, selon l'expression de Serge Moscovici, à « regarder les sociétés du point de vue de la nature ». C'est pourquoi, à ce développement, ils ont opposé des formes de production à petite échelle, valorisant l'autonomie des collectivités et se préoccupant de l'utilisation de l'ensemble des ressources locales physiques et culturelles. Dans les années soixante-dix fleurirent, parallèlement aux luttes contre le nucléaire, des projets alternatifs[3], mais l'écodéveloppement de la société resta du domaine de l'utopie politique. Et beaucoup d'écologistes sont maintenant las de jouer le rôle d'éboueurs dans une société qui a persisté, malgré les discours solennels et des efforts ponctuels, à consacrer peu d'attention et de moyens au recyclage de ses « rebuts ». C'est à présent à propos de la régulation du régime des eaux par des barrages et surtout du stockage des déchets de toute sorte que se sont multipliés les conflits qui ont entraîné la constitution de nombreuses associations de défense. Plusieurs communes ont refusé de stocker les ordures ménagères des grandes agglomérations voisines. D'autres, échaudées par des années de politique du secret, n'ont plus accepté de recevoir

3. Par exemple, le projet *Alter* jetant les bases d'un écodéveloppement de la France refusait l'utilisation du pétrole et du nucléaire. Cf. *Le Projet Alter*, groupe de Bellevue. Éd. Syros, Paris, 1978.

des déchets industriels souvent très spéciaux. Enfin, des cantons ou des régions entières se sont opposés par de véritables jacqueries au stockage des déchets radioactifs sur leur territoire, refusant de se fier aux propos rassurants des services du Commissariat à l'énergie atomique (CEA). Le gouvernement Rocard a ainsi dû, le 9 février 1990, geler les travaux prévus depuis 1987 sur les sites de Bourg-d'Irée (Maine-et-Loire), Bourg-en-Bresse (Ain), Neuvy-Bouin (Deux-Sèvres) et Sissonne (Aisne). Mais, tout violents qu'ils soient, ces conflits n'ont pas débouché sur une remise en cause du type de développement de notre société. Ils manifestent avant tout la volonté de collectivités de s'opposer aux choix d'institutions centralisées perçues comme bureaucratiques et imposant des décisions lourdes de conséquences pour leur avenir.

D'une manière plus générale, le discours écologique qui, au cours des années soixante-dix, avait tenté de donner une substance à la contestation du travail et de la technique et aux aspirations à l'autonomie, n'a pas produit l'utopie qu'appelaient de leurs vœux des hommes tels qu'Ivan Illich. *A contrario*, conclut Dominique Allan-Michaud dans un livre très documenté, la société alternative et ses micro-réalisations créatrices de « valeur idéologique ajoutée » ont accouché en France d'un écologisme participatif et technologique. L'écomilitantisme, écrit-il, « semble se situer de plus en plus dans la société telle qu'elle est, dans l'optique d'une amélioration[4] ». Son action ne procède pas d'un projet alternatif global et elle est bien souvent tournée, pour faire face à la multiplication des pollutions, vers la gestion « efficace » de l'environnement local. Qu'on s'en réjouisse ou qu'on la regrette, cette situation tient aussi au contexte politique français marqué par la polarisation droite-gauche, au poids du lobby nucléaire et à la faiblesse des moyens du ministère de l'Environnement.

De nombreux militants de la cause écologique rejettent à présent au second plan la dimension politique de leur combat pour se centrer sur une défense de l'environnement qui nécessite de plus en plus de compétences techniques. Ainsi, en Basse-Normandie, Marie-Paule Labey, initiatrice en 1982 du Groupement régional des associations de protection de l'environnement (GRAPE), reproche-t-elle aux Verts d'être trop influencés par l'extrême gauche française et l'exemple des Grünen allemands. Sans dénier le caractère politique (au sens large du terme) de l'écologie, elle se refuse à appuyer les positions des Verts avec lesquels elle a rompu, au sujet du pacifisme ou de l'échelle des rémunérations salariales[5]. Selon Marie-Paule Labey, les associations écologiques devraient accueillir des militants de droite comme

---

4. Dominique ALLAN-MICHAUD, *L'Avenir de la société alternative*, L'Harmattan, Paris, 1989, p. 129.
5. Entretien avec Marie-Paule LABEY, le 5 janvier 1988.

de gauche et consacrer leurs efforts à former des responsables compétents qui iront les représenter dans les commissions où l'on négocie avec l'administration et les professionnels les plus divers[6]. Jean-Pierre Raffin, ancien président de la Fédération française des sociétés de protection de la nature (FFSPN) rebaptisée aujourd'hui France Nature Environnement (FNE), a quant à lui accepté de se présenter en 1989 sur la liste européenne des Verts et il a été élu député. Il précisait cependant peu après cette élection : « Ce n'est pas pour les femmes battues ou les homosexuels ou les combats de libération de certains peuples que je suis venu chez les Verts. C'est plus l'aspect protection de la nature, environnement, gestion des ressources naturelles qui m'a attiré. Je me sens très bien chez les Verts[7]. » En outre, une partie des membres de la fédération FNE a, depuis longtemps, tenu à distinguer son action de celle des militants écologistes issus du mouvement de mai 1968 et qualifiés de « marginaux ». Germaine Ricou et Charles Touzan, respectivement vice-présidente et administrateur de FNE, écrivaient ainsi : « Les marginaux n'ont jamais appartenu à nos associations ; nous sommes strictement apolitiques ; par contre, l'écologie scientifique est la

6. Le GRAPE a ainsi servi de relais, en 1990, au recrutement par le conseil régional de Basse-Normandie de quatre éco-conseillers travaillant sur des problèmes locaux.

7. De l'associatif au politique ; interview de Jean-Pierre RAFFIN, *Verts Europe*, avril 1990.

spécialité d'un certain nombre d'entre nous, de même que l'étude de la nature[8]. »

De tels propos illustrent l'une des ambiguïtés majeures de l'écologie qui oscille depuis longtemps entre sa vocation scientifique et ses aspirations à l'intervention sociale. L'écologie comme science est, depuis sa naissance, partagée en courants qui continuent aujourd'hui à s'opposer, notamment dans leur approche des rapports à établir entre les faits naturels et les faits sociaux[9]. Toutefois, certains écologues prétendent, au nom de la rigueur de leur démarche, interdire toute forme de préoccupation politique aux diverses composantes qui se réclament de l'écologie, identifiant ainsi celle-ci à une démarche positiviste, consacrée à l'étude de « ce qui est » et renonçant à tout discours sur le « pourquoi des choses ». On retrouve ici un mouvement récurrent des sociétés industrielles dans lesquelles, notait Raymond Aron dès 1966, « les débats idéologiques sont remplacés par l'examen pragmatique des problèmes qui relèvent de l'étude scientifique et qui appellent l'art de l'ingénieur social »[10]. Or, précisément, les écologistes de terrain ont été amenés comme on vient de le voir, à prendre de plus en plus en charge, souvent par le biais des associations, les dysfonctionne-

8. *Information agricole*, n° 613, juin 1989, p. 65.

9. Cf. Georges GUILLE-ESCURET, *Les Sociétés et leurs natures*, A. Colin, Paris, 1989. Pascal ACOT, *Histoire de l'écologie*, PUF, Paris, 1988.

10. Raymond ARON, *Trois essais sur l'âge industriel*, 1966. Cité par Pierre BIRNBAUM, *La Fin du politique*, Le Seuil, Paris, 1975, p. 28.

ments de la société et à remplir de ce fait une tâche de maintenance des espaces ruraux et urbains. Gérant les problèmes locaux, mais pas encore assez professionnels aux yeux de certains[11], les écologistes ne courent-ils pas le risque d'abandonner peu à peu toute forme de questionnement politique ?

L'État, l'associationnisme écologique et le lien social

L'insuffisance des moyens dont dispose l'administration en matière de protection de la nature, à nouveau soulignée en avril 1990 par le rapport Barnier[12], est l'une des raisons qui ont conduit de nombreuses associations écologiques à se consacrer à la gestion de l'environnement. En 1982 déjà, les 4 000 associations ayant participé aux États généraux de l'environnement organisés par Michel Crépeau, ministre de tutelle, convergeaient dans la critique de l'administration tout en mettant en cause avec des sensibilités diverses la logi-

11. Au soir de la célébration du Jour de la Terre (22 avril 1990) qui connut en France un relatif échec, Brice Lalonde déclarait en substance : « Le mouvement associatif est plus faible en France qu'ailleurs ; il faudrait qu'il devienne plus professionnel » (émission *Le téléphone sonne*, Radio France, 23 avril 1990).

12. Michel BARNIER, *Chacun pour tous. Rapport sur notre environnement*, avril 1990.

que productiviste de notre société[13]. Les lois concernant l'environnement sont insuffisantes, expliquaient-elles en substance, mais elles sont surtout mal appliquées par des services dont la représentation territoriale est squelettique. Cette situation a d'ailleurs été reconnue par Brice Lalonde, qui s'est fait fort d'y remédier par la mise en œuvre d'un « plan vert » publié en juin 1990 et présenté devant l'Assemblée nationale à l'automne.

Ce plan prévoit un quasi-doublement de la dépense affectée par la France à l'environnement (qui émane de l'État, des collectivités locales, des entreprises et des ménages) d'ici l'an 2000[14]. Mais on sait qu'en la matière le retard est grand et que, dans le meilleur des cas, l'augmentation des moyens de l'État ne pourra être que progressive. Il est donc probable que les écologistes en seront encore réduits pendant plusieurs années à tenter de pallier les défaillances d'un État qui reste pourtant l'institution définissant la légitimité sociale en matière de protection de la nature. Or, dans ce domaine, la multiplicité des usages et des

---

13. Cf. le compte rendu du « Livre blanc de l'environnement » dans *Combat Nature*, n° 52, sept.-oct. 1982.

14. En 1988, selon le secrétariat à l'Environnement, la dépense nationale « environnement » qui mesure l'effort consenti pour prévenir les pollutions et nuisances et gérer l'environnement s'est élevée à 72 milliards (hors les dépenses d'aménagement hydraulique), soit 1,2 % du PIB. Une grande partie de ces fonds provient des collectivités locales dont les charges les plus importantes ont été l'assainissement des eaux et le traitement des ordures ménagères. Cf. *Données économiques de l'environnement* (édition de 1989), p. 36 et 37.

représentations ne permet pas de déterminer les principes d'une action collective susceptible de recueillir l'accord de toutes les parties prenantes. On peut en effet définir des modes d'appréhension fort différents de la nature en fonction des acteurs sociaux et des attentes dont elle est l'objet [15]. Et certains auteurs voient aussi dans cette situation l'origine de la difficulté à juger de l'efficacité des politiques publiques de l'environnement, leur objet étant, au-delà d'un « consensus mou », incertain ou vivement controversé [16]. Il est néanmoins tentant, pour les associations écologiques, de s'appuyer sur l'autorité d'un État toujours à même de se réclamer d'une gestion scientifique des écosystèmes ou du souci de la santé et de la sécurité des populations. Les traditions en la matière sont déjà anciennes et remontent à la fin du XIXe siècle lorsque l'administration et certaines sociétés influentes de conservation des sites (Club alpin français, Touring club de France, etc.) unirent leurs efforts en vue de protéger les massifs forestiers et montagnards [17]. Aujourd'hui, les mouvements officiellement agréés par le ministère de l'Environnement (1 250 associations en 1988) bénéficient de subventions et de créations de pos-

---

15. Cf. notamment Nicole MATHIEU et Marcel JOLLIVET (sous la direction de), *Du rural à l'environnement. La question de la nature aujourd'hui*, ARF/L'Harmattan, Paris, 1989.
16. Olivier GODARD, « Jeux de nature », in *Du rural à l'environnement*, *op. cit.*, p. 305.
17. Cf. par exemple Bernard KALAORA et Denis POURPARDIN, *Le Corps forestier dans tous ses états*, INRA, Rungis, 1984.

tes (TUC, FONJEP, objecteurs de conscience, etc.). Ils sont aussi engagés dans des mécanismes de concertation qui se traduisent, nous l'avons vu, par leur participation aux travaux de très nombreuses commissions locales et nationales. Simon Charbonneau évoquait ainsi, dès 1985, l'étroitesse des liens unissant les grandes associations comme la FFSPN à certains fonctionnaires travaillant au ministère de l'Environnement ou dans diverses agences publiques (AFME, ANRED, etc.). Et il s'inquiétait du risque de voir le mouvement associatif réduit à n'être plus qu'un appendice de ce qu'il appelait la technocratie verte [18]. Or, bien que les exemples de cogestion de la protection de la nature soient nombreux, cette intrication des actions de l'État et des associations semble inévitable. En effet, la puissance publique apparaît souvent comme l'ultime barrage, au nom de l'intérêt général, à l'aliénation de certains sites aux intérêts privés. Et il ne semble pas que le mouvement associatif y perde nécessairement son autonomie comme le montre l'exemple développé dans l'encadré ci-après.

Pris entre l'urgence des situations et sa volonté décentralisatrice, le mouvement écologique entretient ainsi des rapports complexes avec l'État. La plupart de ses composantes réclament depuis longtemps la constitution d'un grand ministère de

18. Simon CHARBONNEAU, « Les écolos en mal de technocratie », *Combat Nature*, n° 66, août 1985.

Les ZNIEFF pourront-elles endiguer le béton ?

4 000 personnes se sont mobilisées pour dresser l'inventaire des 13 400 zones naturelles d'intérêt écologique, faunistique et floristique (ZNIEFF) recensées au terme d'une action lancée en 1982 par le ministère de l'Environnement et confiée au Muséum national d'histoire naturelle. Bénévoles, scientifiques et administratifs se sont ainsi retrouvés pour cartographier et classifier avec précision les multiples informations relevées dans ces espaces où le patrimoine naturel revêt un intérêt exceptionnel. Cet effort de collaboration avec les pouvoirs publics permettra de doter les associations d'un outil rigoureux susceptible de servir de base de négociation dans les conflits qui opposent les protecteurs de la nature et les aménageurs de toute espèce. Hélas, les ZNIEFF ne sont qu'un état des lieux et n'impliquent automatiquement aucun type de mesure réglementaire propre à faire reculer les bulldozers.

l'Environnement tout en souhaitant voir les citoyens prendre leurs affaires en main. Ce dernier aspect des choses correspond d'ailleurs à la teneur de la loi de 10 juillet 1976 sur la protection de la nature qui prévoyait qu'« il est du devoir de chacun de veiller à la sauvegarde du patrimoine naturel dans lequel il vit ». Plus généralement, en opposition au développement de l'individualisme, un certain nombre de militants et d'observateurs aspirent à ce que l'écologie promeuve de nouvelles formes de civisme qui redonnent corps aux liens sociaux. Un nouveau sens civique se développerait dont la sensibilité écologique, qu'elle se manifeste dans les plus petits gestes quotidiens ou qu'elle se traduise par un engagement militant plus marqué, serait la trame[19]. « Un discours planétaire, gestionnaire, "éco-systémique" n'est justifié que s'il est équilibré par une démarche individuelle, par un combat pour l'autonomie, pour la liberté créatrice, pour le droit à la différence », écrit Guy Aznar, président des Amis de la Terre[20]. Il poursuit : « Trouver un équilibre entre le planétaire et le quotidien, entre le social et l'individuel, peut-être est-ce là l'un des points clés du nouvel écosystème à imaginer. Qui pourrait y contribuer mieux que nous ? »

Entre des individus atomisés et des pouvoirs toujours plus concentrés, les associations joueraient ainsi le rôle de corps intermédiaires remettant au goût du jour le militantisme du cadre de vie. L'une des origines de l'écologisme réside en effet dans la protestation contre le pouvoir exclusif des experts et dans la nécessité d'une réflexion sur les conséquences des choix technologiques nourrissant le débat démocratique sur un « contrôle socialisé des risques[21] ». Mais on peut don-

19. Cf. Christian LALIVE d'ÉPINAY, « Individualisme et solidarité aujourd'hui », *Cahiers internationaux de sociologie*, vol. 86, 1989, p. 29.
20. Guy AZNAR, éditorial de *La Baleine*, janv. 1990.
21. Denis DUCLOS, *La Peur et le savoir*, La Découverte, Paris, 1989, p. 218.

ner également un sens plus large à l'exhortation de Guy Aznar. Félix Guattari considère ainsi que ce sont les conduites élémentaires d'entraide et de convivialité aujourd'hui affaissées que l'écologie devrait réinventer en reconstruisant « l'ensemble des modalités de l'être-en-groupe[22] ». Nous reviendrons au chapitre 4 sur cette « écologie de la citoyenneté » qui, plus que jamais confrontée à la puissance du marché et à la tentation du repli des individus dans la sphère privée, oscille entre pragmatisme et politique.

Il reste qu'aujourd'hui, les associations écologiques semblent encore bien faibles en France face aux moyens dont disposent les industriels et à la concentration des pouvoirs[23]. De plus, les questions et les débats qu'elles pourraient susciter, par exemple en ce qui concerne les choix technologiques et leurs conséquences, n'intéressent guère les médias. Les chaînes de télévision, par exemple, préfèrent utiliser les peurs et les aspirations diffuses de leurs spectateurs pour produire des émissions à grand spectacle où seule importe la question : que fait-on contre la pollution ? C'est ainsi qu'en 1989 de grandes entreprises chimiques

---

22. Félix GUATTARI, *Les Trois Écologies*, Éd. Galilée, Paris 1989, p. 22.

23. « Les Français ne se sentent pas suffisamment informés ni consultés, ils sont souvent décontenancés par les débats des spécialistes, déçus par les experts qui leur paraissent à la fois juge et partie. Ils ont le sentiment d'être condamnés à l'impuissance face au plus malin et au plus fort », écrit Brice LALONDE en introduction du Plan national pour l'environnement, in *Environnement actualité*, numéro spécial, 1990.

ont pu cofinancer ces émissions et se targuer de leurs efforts d'épuration des rejets sans que la situation apparaisse surréaliste[24]. On comprendra dans ces conditions qu'on entende davantage la voix des spécialistes en ingénierie planétaire que des débats sur les diverses conceptions de l'écologie. Les Verts sont nés de la difficulté des associations françaises à nourrir un débat politique à partir de la critique écologique. Et le vote vert est largement issu de l'incapacité des partis traditionnels à intégrer l'écologie à leur propre démarche.

Le vote vert

Le vote pour les partis écologistes a connu, au cours des dernières années, un spectaculaire essor dans les pays de la CEE et le groupe écologiste du Parlement européen compte 29 députés depuis 1989. Encore le système électoral en vigueur en Grande-Bretagne n'a-t-il pas permis aux Greens d'avoir une représentation parlementaire bien qu'ils aient recueilli 15 % des votes. La concomitance de la progression électorale de ces partis est d'autant plus significative (voir le graphique), qu'ils sont loin d'avoir des histoires et des trajectoires identiques[25]. Tous ne se situent pas néces-

24. Par exemple Rhône-Poulenc dans l'émission de TF1 *La terre perd la boule*, le 21 janvier 1989. Les messages publicitaires de cette entreprise proclamaient en 1989 et 1990 : « Bienvenue dans un monde meilleur ! »
25. Cf. Sara PARKIN, *Green parties. An international guide*, Ed. Heretic Book, Londres, p. 335.

ÉLECTIONS AU PARLEMENT EUROPÉEN
Scores des listes « vertes » autonomes dans les principaux pays de la CEE

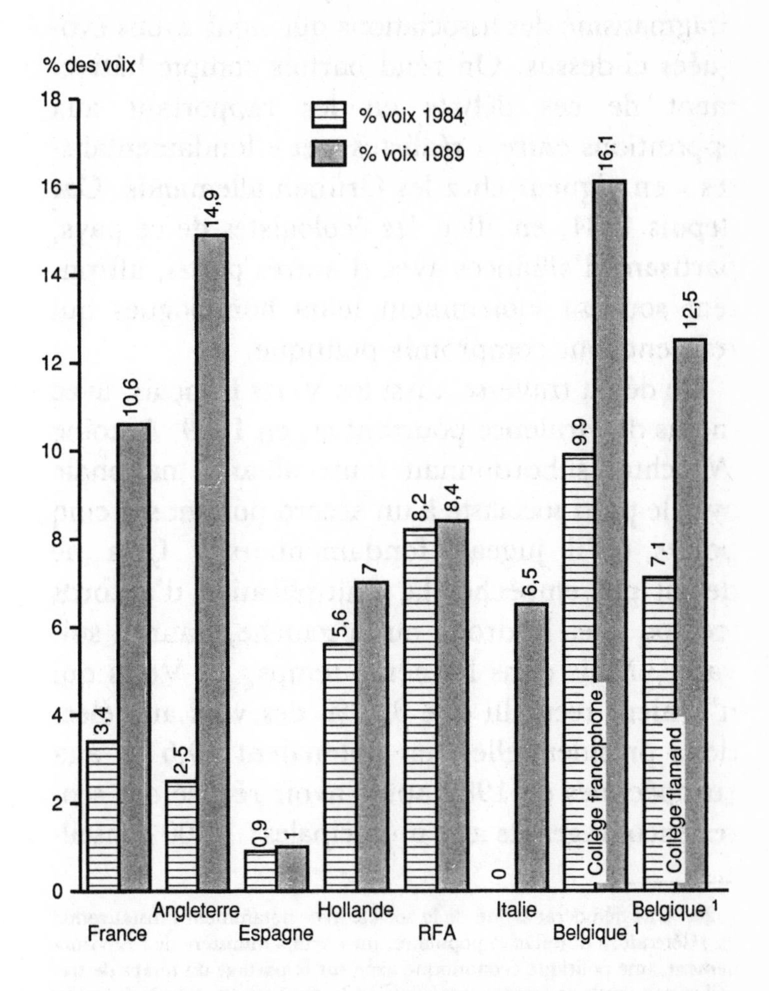

1. Les % de chacune des deux listes sont calculés en référence au nombre de votants dans chacun des collèges. *(La Grèce, le Danemark et le Portugal n'avaient pas de liste écologique autonome en 1989.)*

sairement de la même manière sur l'échiquier politique de leurs pays et, dans chacun d'entre eux, les programmes et les alliances font souvent l'objet de débats passionnés qui tranchent avec le pragmatisme des associations que nous avons évoquées ci-dessus. On rend parfois compte hâtivement de ces débats en les rapportant aux oppositions entre « réalistes » et « fondamentalistes » en vigueur chez les Grünen allemands. Car depuis 1984, en effet, les écologistes de ce pays, partisans d'alliances avec d'autres partis, affrontent souvent violemment leurs homologues qui refusent tout compromis politique.

Ce débat traverse aussi les Verts français, avec moins de virulence pourtant et, en 1989, Antoine Waechter subordonnait toute alliance nationale avec le parti socialiste à un accord portant sur cinq points qu'il jugeait fondamentaux[26]. Cela ne devait pas empêcher la multiplication d'accords locaux, avec la droite ou la gauche, l'année suivante. Mais dans le même temps, les Verts qui n'avaient recueilli que 3,6 % des voix aux élections présidentielles, en obtenaient 10,6 % aux européennes de 1989 après avoir réalisé des scores encourageants aux municipales : 1 400 conseil-

26. Une démocratisation de la société avec notamment l'instauration du référendum d'initiative populaire, un « vrai » ministère de l'Environnement, une politique économique axée sur le partage du temps de travail et non sur la croissance matérielle ou la compétition, l'arrêt des essais nucléaires à Mururoa, une politique de maîtrise de l'énergie accompagnée de l'arrêt du surgénérateur de Malville et de l'absence de mise en place de toute nouvelle centrale nucléaire.

lers municipaux se réclamant de l'écologie y furent élus, dont 600 adhérents des Verts. Le parti, qui ne comptait encore que 1 700 adhérents à la fin de 1988, en revendiquait 4 400 un an plus tard. Issu, en 1984, de la fusion de la confédération écologiste et du parti écologiste, il est aussi l'héritier d'une mouvance plus large et plus ancienne, fertile en conflits et en tentatives d'unification. Selon un dirigeant des Verts, Yves Cochet, les quatre cinquièmes des leaders actuels étaient déjà présents en 1980 aux assises nationales de Lyon[27]. Le succès actuel des Verts ne tient donc pas de la génération spontanée. Toutefois, d'autres mouvements ou personnalités ayant auparavant représenté l'écologie aux élections, par exemple René Dumont, n'ont pas souhaité rejoindre ou constituer un parti écologiste. Le parti Vert est lui-même traversé de multiples sensibilités et l'on pouvait relever onze textes d'orientation différents lors de son assemblée générale de décembre 1989, dont quatre devaient recueillir plus de 9 % des votes, celui signé par Antoine Waechter arrivant en tête avec 44 % des suffrages. Les dirigeants actuels proviennent du syndicalisme enseignant (Didier Anger, Yves Cochet), de l'écologie environnementale et d'associations chrétiennes (Antoine Waechter et Solange Fernex) ou encore de mouvements régionalistes (Andrée Buchmann).

27. Entretien avec Yves COCHET, in *Politix*, n° 9, 1er trimestre 1990, p. 11.

Plus généralement, bien enracinés dans leurs villes grâce à leur activité associative, les cadres et militants Verts constituent un ensemble traversé de traditions et de sensibilités politiques différentes. Comment caractériser alors le projet politique issu d'un tel syncrétisme ?

L'image qu'en ont les observateurs est à coup sûr souvent contradictoire. Ainsi, nombreux sont ceux qui dénoncent le sectarisme et la « dérive gauchiste » des Verts, notamment certains écologistes comme Brice Lalonde[28]. D'autres, au contraire, moins nombreux mais de manière toute aussi virulente, ne manquent pas de relever dans leurs propos des relents pétainistes. Certains n'hésitent d'ailleurs pas à écrire que leur discours fait le lit du Front national[29], lequel verrait plutôt dans les Verts de dangereux extrémistes de gauche cosmopolites.

Ces images contradictoires ne sont pas fortuites. La majorité des Verts aime en effet à se définir comme n'étant ni à droite ni à gauche, mais dans une autre culture politique qui s'enracine dans un refus radical du productivisme et de l'instrumentalisation de la nature. On peut distinguer d'ailleurs dans le discours écologiste une composante conservatrice puisqu'il vise à montrer que le bonheur se paie du prix de la préservation de la

28. Interview de Brice LALONDE, « Non à l'écologisme gauchiste et sectaire ! », *Le Figaro*, 18 sept. 1989. p. 10.

29. Jean-Claude LÉVY, « De la misère nationale-écologique », *Libération*, 9 fév. 1990, p. 5.

nature et qu'ainsi tout n'est pas possible à un homme qu'on ne saurait définir en dehors de ses attaches géographiques, affectives, culturelles et politiques. Mais l'écologie politique se veut aussi libératrice de l'homme et de ses oppressions ; les valeurs politiques des Verts rejoignent les traditions de gauche quand, s'attachant à la défense de la liberté, de l'autonomie et de l'égalité, elles s'opposent au nationalisme et se font antimilitaristes et anticolonialistes[30].

Ce « conservatisme progressiste » qui voudrait lier la réflexion sur le rapport des hommes avec la nature à une conception raisonnée de la liberté prétend bouleverser les représentations politiques traditionnelles. L'étude du vote vert aux élections européennes de 1989 fait apparaître que ces options ont surtout séduit des électeurs classés à gauche par les politologues et qu'on pourrait d'ailleurs qualifier en majorité de « déçus du socialisme », car les trois quarts avaient voté en faveur de François Mitterrand en 1988. En outre, on observe aussi chez les électeurs du PS une très nette sympathie pour les Verts : 84 % se déclaraient, en 1990, tout à fait ou plutôt favorables à une alliance avec ceux-ci, les désignant ainsi comme partenaires politiques privilégiés[31].

---

30. Le mouvement écologique prône depuis longtemps la mise en place d'une défense civile non violente et le désarmement international. Par ailleurs, les Verts ont soutenu les indépendantistes kanaks et, peu avant son assassinat en 1989, Jean-Marie Tjibaou avait demandé à figurer sur leur liste européenne.

31. Selon les résultats d'un sondage IFOP publié par *Libération* du 14 mars 1990, au même moment, 55 % des électeurs socialistes sondés

Il est peu probable qu'un autre mouvement se réclamant de l'écologie, Chasse, Pêche, Tradition (CPT) bénéficie des mêmes sympathies à gauche. Ce mouvement, apparu à l'occasion des élections européennes de 1989, a connu un succès inattendu en dépassant les 5 % dans 29 départements ruraux et en recueillant plus de 10 % des voix dans ceux où se pratiquent couramment les chasses traditionnelles lors des migrations de la palombe et du gibier d'eau. Il se réclame de la « véritable écologie », rejetant les Verts du côté de ses principaux ennemis, les fonctionnaires de Bruxelles et les parlementaires de Strasbourg. Dans le prospectus envoyé aux électeurs, les candidats du mouvement se définissaient ainsi : « Hommes et femmes de la Terre et de l'Eau, la Nature est notre Culture. » Ils poursuivaient plus loin : « Depuis dix ans, et dans l'indifférence des décideurs, l'Europe de l'Environnement se construit exclusivement sur le modèle anglo-saxon qui fait fi des diversités régionales, des cultures et traditions des premiers utilisateurs de la nature que sont les 22 millions de pêcheurs et chasseurs européens. » Or, les Verts assimilés ainsi à l'écologie anglo-saxonne entendent également défendre l'autonomie des collectivités locales et les identités régionales. Si CPT voit dans les communes un lieu de vie associative « génératrice de cohésion

---

se déclaraient tout à fait ou plutôt favorables à une alliance avec le parti communiste et 46 % avec les centristes.

sociale et de convivialité », ce mouvement s'en remet à l'État français pour les défendre contre l'emprise de la technocratie européenne. Les Verts, quant à eux, font des communes un lieu privilégié d'exercice d'une démocratie vivante fondée sur le développement des solidarités. Mais ils ne voient que dans un fédéralisme européen la possibilité d'amoindrir le poids des technocraties nationales et d'éviter la marginalisation de certaines régions. Les deux mouvements, malgré ces différences, insistent sur la nécessité de maintenir une population agricole nombreuse et de préserver le tissu social rural. Enfin, la proposition faite par les écologistes de transformer le Sénat en assemblée de représentation des régions ne saurait déplaire aux chasseurs. Mais plus encore que les problèmes liés à la chasse, c'est bien davantage les dimensions solidaristes et fédéralistes de la conception de la citoyenneté portée par les Verts qui les placent aux antipodes de Chasse, Pêche et Tradition dont les plus grands succès électoraux se situent dans des régions de faible implantation du parti d'Antoine Waechter. On perçoit ainsi combien l'évolution des particularismes peut déboucher sur des conceptions différentes de l'écologie. Nous y reviendrons plus longuement au chapitre 7 en ce qui concerne l'attachement à la terre. Au nom des particularismes, la nature et l'enracinement peuvent devenir synonymes de fermeture. Le discours « écologique » du Front national n'est alors pas loin qui appelle, en vertu de l'équilibre de l'espèce, à sauvegarder la France contre les invasions de population « étrangère ».

Si on ne peut réduire l'écologie des Verts à une simple idéalisation des racines ou à une naturalisation des traditions, on a en revanche voulu y voir l'expression de la montée de certaines catégories sociales. En témoignerait la surreprésentation des professions intermédiaires ou des couches moyennes, notamment des intellectuels (professeurs et journalistes en particulier) parmi les dirigeants du parti écologiste français. Dans une étude récente, Guillaume Sainteny oppose ce profil sociologique des « élites vertes » au discours du parti qui vise à décentraliser et à déhiérarchiser les mécanismes de la représentation politique. Et il en conclut que ces élites incarnent ou préfigurent un nouveau type de personnel politique de culture scientifique dont la formation « peu valorisée pour l'instant au sein des partis établis, se verrait reconnaître une légitimité supérieure et une meilleure rentabilité chez les Verts [32]. » On a aussi voulu ne voir dans le vote vert qu'un phénomène de génération ou propre aux classes moyennes qui, la prospérité acquise, marqueraient ainsi leur préférence pour des valeurs « post-matérialistes » privilégiant la personne et le cadre de vie [33]. Mais à

32. Guillaume SAINTENY, « Les élites vertes », *Politix* n° 9, 1er trimestre 1990, p. 36.

33. De nombreux travaux de sciences politiques ont tenté d'accréditer cette idée très générale, dans le sillage des études de l'Américain R. Inglehart publiées au cours des années soixante-dix.

s'en tenir ainsi à un déterminisme sociologique par trop réducteur, on passe à côté du fait que le vote vert est le symptôme d'une crise culturelle profonde des sociétés modernes et c'est alors le caractère polymorphe de la sensibilité écologique qu'il faut interroger[34].

Ainsi, le vote vert nous paraît être, en France, l'expression de sensibilités multiples, ce que semble traduire la définition très générale de l'écologie donnée par le parti : « L'écologie est une lecture de l'histoire humaine qui privilégie la vie et l'épanouissement de la personne dans une société conviviale. C'est la critique d'une civilisation fondée sur la volonté de puissance et l'accumulation de biens matériels, pillant les ressources de la planète et menaçant la survie même de l'humanité. C'est l'affirmation du droit à l'amour, à la beauté, à la dignité pour tous[35]. » Néanmoins, ce qui nous semble essentiel, au-delà de cette définition très large, c'est que le discours des Verts exprime la lassitude devant l'immobilisme des partis au pouvoir et une volonté de rénovation du jeu démocratique. De manière plus positive, on peut aussi observer que le programme des Verts s'efforce de se placer à la fois du point de vue de l'État (décentralisé) en renforçant ses moyens pour contrôler le jeu du marché et du point de vue des

34. Cf. Danny TROM, « Le parler vert », *Politix, op. cit.*, p. 46.
35. *Le Choix de la vie*, plaquette diffusée par les Verts à l'occasion des élections de 1988 et 1989.

citoyens dont il souhaite encourager les initiatives et développer l'autonomie. On pourra objecter que cette ambition fut, depuis la Libération, celle de nombreux mouvements qui souhaitaient transformer la politique et resubstantialiser la démocratie. Il reste donc aux Verts à préciser comment ils entendent concilier l'exaltation des particularismes avec un discours égalitariste, redistributeur et ouvert aux droits sociaux, un discours catastrophiste sur l'état de la planète avec l'espoir de changer l'homme, un projet politique global avec les nécessités de la gestion quotidienne.

Du côté des électeurs, on doit enfin constater, en ces années d'éclatement du politique, que le « recours à la nature » fonctionne comme une référence à tiroir où chacun se sert à la carte. L'individu s'y retrouve face à lui-même et à la planète menacée.

4

L'avenir incertain

Une grande peur planétaire

Quelle est la signification de la grande peur écologique que nous évoquions au chapitre 1 ? Elle n'est sans doute pas exempte d'une part d'irrationnel, d'une sorte de conscience « archaïque », « non contemporaine » aurait dit Ernst Bloch, que l'âge moderne n'est pas vraiment parvenu à extirper. Par-delà sa présentation scientifique, quelquefois même à travers elle, la peur écologique retrouve en effet des craintes anciennes dont nous avions imaginé être définitivement débarrassés et nous apprend ainsi que nous sommes bien moins « modernes » que nous le prétendons. Certes, rarissimes sont les hommes qui, à la surface de la Terre, croient encore de nos jours aux dieux païens inscrits dans le grand corps de la nature. De même, il n'a pas manqué de penseurs, dès le

XIXe siècle, pour annoncer la mort de Dieu et saluer la pleine et entière liberté de l'homme face à la création. Pourtant, même dans l'Occident contemporain, des sentiments troubles, faits de répulsion et de fascination à l'endroit de la nature et de l'artifice humain, continuent de se manifester, et ce sont eux précisément que la grande peur planétaire vient mettre à nu.

On pourrait gloser à l'infini sur ce refoulé des sociétés modernes qui resurgit avec l'écologie. Stigmatiser, comme certains le font, la régression infantile, le déni des Lumières, le néopaganisme qu'incarneraient le discours écologique et la peur qui l'accompagne [1]. La vue paraît cependant un peu courte et, surtout, esquive délibérément la question essentielle : celle des ravages, bien réels, que les hommes infligent à la nature et de l'inquiétude, non moins palpable, qu'ils en conçoivent. Plus sérieusement, on peut penser que la peur écologique donne raison aux thèses que développe depuis déjà de longues années François Terrasson [2]. Selon lui, notre faculté à détruire la nature s'enracinerait dans la peur que celle-ci nous inspire, dans une mythologie, très largement inconsciente, d'une nature mystérieuse et maléfique qu'il

1. On trouvera un exemple récent de ce point de vue dans les réactions hostiles de Bernard-Henry Lévy, Guy Scarpetta et Dominique Fernandez au livre de Jean-Marie Gustave LE CLÉZIO, *Le Rêve mexicain*, Gallimard, Paris, 1988.

2. Cf. François TERRASSON, *La Peur de la nature*, Le sang de la Terre, Paris, 1988 ; ou *Silex*, « La Sensibilité écologique », n° 18, Paris, 1980, p. 20-23.

nous faut vaincre à tout prix, c'est-à-dire domestiquer et artificialiser, afin d'exorciser nos terreurs enfantines. A suivre ce raisonnement, on pourrait donc soutenir l'idée que la grande peur écologique constitue la manifestation exacerbée de notre incapacité présente à penser ensemble nature et culture, respect de la nature et artifice humain.

Si, par certains de ces aspects, la peur écologique nous renvoie ainsi à la plus ancienne humanité, elle n'en constitue pas moins un phénomène proprement moderne, contemporain. La crainte d'une révolte de la nature et d'un anéantissement de l'espèce se déploie aujourd'hui au cœur même de la raison scientifique et technique, du projet industriel ou post-industriel et du processus, selon le mot de Serge Latouche, d'occidentalisation du monde. Au sein d'un espace dont la conquête de la Lune n'a pas véritablement supprimé la finitude, nous vivons désormais l'ère du « tout est possible », techniquement, humainement et naturellement. Poètes, visionnaires nous avaient prévenus et nous le savions nous-mêmes depuis les deux dernières guerres et l'Holocauste. La mobilisation totale, les camps et la solution finale avaient démontré que l'inimaginable pouvait sortir de l'action de l'homme sur ses semblables, mettant en péril la civilisation elle-même. Le risque nucléaire, l'effet de serre, le trou dans la couche d'ozone, c'est-à-dire les signes de l'artificialisation croissante de notre relation au milieu, nous enseignent, au terme du même siècle, que l'inimaginable pourrait bien également sortir de l'action de l'homme sur la nature, mettant en danger la vie même.

Pour mesurer à quel point la peur écologique est liée au caractère inédit et singulier de la condition de l'homme moderne, il suffit de se pencher un instant sur trois des thèmes qui dominent depuis plus de vingt ans le mouvement écologiste international : l'épuisement des ressources naturelles, la multiplication des déchets industriels et la destruction des cultures traditionnelles.

L'idée d'un épuisement possible des ressources naturelles constitua, au début des années soixante-dix avec le rapport Meadows, l'une des premières manifestations d'une conscience écologique mondiale. Conséquence d'une démographie galopante et d'une civilisation industrielle énergivore, l'apparition d'une telle éventualité traduit la position radicalement nouvelle que nous occupons dans l'histoire de l'humanité. Pour la première fois, une civilisation pourrait, à l'échelle planétaire, dilapider les ressources du sol et du sous-sol — c'est-à-dire l'héritage géologique et humain — et, dans l'hypothèse la plus pessimiste, s'acheminer rapidement vers un désastre ou, dans la plus optimiste, léguer aux générations futures des problèmes énergétiques et alimentaires insurmontables.

On peut faire des remarques similaires sur la question des déchets industriels, et tout spécialement nucléaires. Non seulement ceux-ci nous placent d'ores et déjà face à des problèmes sans précédent de récupération, de stockage et de traitement qui menacent quotidiennement notre sécurité, mais ils engagent aussi notre relation au futur, à l'espace et au temps d'après. Le fait, trop souvent ignoré ou éclipsé par les terribles conséquences des accidents nucléaires, que certaines matières radioactives ont des durées de vie qui s'échelonnent de trente ans à deux millions d'années[3], donne immédiatement la mesure de l'immense responsabilité qui nous incombe à l'égard des générations à venir. Les incertitudes concernant le destin des sites sur lesquels ont été bâties les centrales nucléaires elles-mêmes, ou le désordre dans lequel sont « gérés » les déchets des industries chimiques appellent des conclusions du même ordre. Ainsi, l'idée que nous puissions laisser aux générations futures un monde invivable, parsemé de zones interdites aux risques proprement incommensurables, n'est plus une vue de l'esprit mais l'une des conséquences probables du développement de la science contemporaine et, partant, une dimension majeure de la condition de l'homme moderne.

C'est à une dimension différente, mais non moins essentielle, de la conscience contemporaine que nous renvoie la destruction des cultures tra-

---

3. Trente ans pour le césium-137, quatre cent trente pour l'américium-241, vingt-quatre mille pour le plutonium-239 et deux millions d'années pour le neptunium-237.

ditionnelles liée au processus d'occidentalisation du monde. Dénoncée depuis longtemps par des écologistes de renom, la disparition des sociétés sauvages est aujourd'hui presque accomplie et les Indiens d'Amérique du Nord, les aborigènes australiens, les Eskimos du Groenland ou les hommes de « la planète Amazone » font désormais figure d'espèces en voie d'extinction. Or, c'est au même moment que resurgit avec force la question des menaces qui pèsent sur la nature. On ne peut manquer d'être troublé par une telle coïncidence, et ce d'autant plus que ces derniers spécimens du « bon sauvage » sont invités à dénoncer publiquement sur les écrans de la peur écologique les massacres dont eux-mêmes ou leur milieu naturel sont l'objet, ainsi qu'instamment priés de faire la leçon aux modernes sur les punitions qu'ils encourent à violer les lois de la nature. Certes, on peut ne voir dans ces manifestations médiatiques que folklorisme cynique, sanglots hypocrites de l'homme blanc. Mais on peut aussi les interpréter comme l'expression d'une véritable angoisse, sincère à défaut même d'être suivie d'actions réparatrices. Celle d'avoir, en détruisant l'Autre, mis en péril l'avenir de tous. Celle de s'être condamné, en annulant la diversité de l'espèce humaine, à une solitude éternelle et inquiète.

La voie royale de la post-modernité ?

Toute une fraction de l'écologie ne se pose pas, ou bien alors à la marge, les questions que nous venons de soulever. Persuadés que l'humanité ne rencontre jamais que des problèmes qu'elle peut résoudre, ces écologistes imaginent qu'un surcroît de modernité pourrait réparer les méfaits de la modernité et donner naissance à une nouvelle civilisation mondiale, couramment appelée post-industrielle ou post-moderne. Pour certains, l'avènement de cette civilisation post-moderne constituerait, au regard de la civilisation industrielle désormais dépassée, une indéniable amélioration. Grâce aux technologies douces, aux réseaux planétaires de télécommunication et à l'application des découvertes récentes dans le domaine des sciences de la Terre et du vivant notamment, elle devrait permettre l'apparition d'une économie mondiale plus respectueuse de l'environnement et le développement de rapports sociaux et politiques moins hiérarchiques que par le passé, plus conviviaux, dans le cadre desquels pourraient s'épanouir des individus autonomes, enfin libérés du poids de l'État-nation centralisateur et du carcan des grandes idéologies. Il s'agit là, à notre avis, d'une vision très idéalisée, quoique fort répandue, de la post-modernité[4]. On peut craindre en effet

4. Qui est loin, d'ailleurs, de correspondre à celle de l'inventeur du concept de post-modernité, le philosophe Jean-François Lyotard, qui donnait à ce terme une définition singulièrement plus rigoureuse et moins

que cette civilisation post-moderne, en conduisant à une fragmentation accrue des valeurs et des pratiques sociales, à un renforcement sans précédent du pouvoir de la techno-science et à une survalorisation des dimensions hédoniste et marchande de l'écologie, ne vienne contribuer à l'instauration de nouvelles formes de domination politique, plus *soft* mais non moins prégnantes que jadis, et à l'aggravation du phénomène actuel de dualisation des sociétés, aussi bien à l'intérieur des espaces nationaux qu'à l'échelle mondiale. Il n'en reste pas moins, malheureusement, que les signes avant-coureurs de cette civilisation post-moderne, et du type de sensibilité écologique qui l'accompagne, sont aujourd'hui particulièrement nombreux.

Le marché de l'environnement

Apparue dans les pays riches, souvent parmi les couches aisées de la population, l'écologie représente déjà un marché florissant. L'écologie, ou plutôt, selon la formule consacrée, la protection de l'environnement. Celle-ci a ses industriels, ses consommateurs, sa publicité, ses slogans. Aujourd'hui, de par le monde, le « vert » se vend et si l'Europe fait figure de retardataire en comparaison des États-Unis, le Bureau d'information et de prévention économique (BIPE) évaluait quand

idéalisée. Cf. Jean-François LYOTARD, *La Condition post-moderne*, Éd. de Minuit, Paris, 1979.

même, en 1987, le marché communautaire de l'antipollution à 278 milliards de francs[5]. Précurseur sur le vieux continent, la République fédérale d'Allemagne se taillait, avec 100 milliards, la part du lion, tandis que la France, la Grande-Bretagne et l'Italie la suivaient loin derrière, avec respectivement 53, 47 et 32 milliards. Par domaine d'activité, ces 278 milliards se répartissaient de la manière suivante : 135 pour le traitement de l'eau et 75 pour celui des déchets, 59 pour la lutte contre la pollution atmosphérique et 9 seulement pour celle contre le bruit.

Il ne fait guère de doute que ce marché de l'environnement connaîtra dans un proche avenir une forte expansion. Bénéficiant de la récente remontée de la sensibilité écologique dans l'opinion publique, de la pression croissante des associations de consommateurs et du renforcement de la réglementation antipollution, il profite également de la prise de conscience, aussi générale que tardive, des cercles dirigeants européens. Politiques de tous bords et industriels de toutes dimensions s'entendent en effet, nous l'avons vu, pour considérer que l'opposition entre écologie et économie est désormais dépassée : « L'époque est révolue où la nature était le fournisseur infini de ressources plus ou moins gratuites et le récepteur

5. Ce chiffre recouvre la production de biens et de services publics ou privés dans le domaine de l'eau, de l'air, du bruit et des déchets. Certaines activités, comme l'activité de récupération, ne sont pas incluses.

sans limites des déchets. L'eau, l'air et le sol deviennent des denrées chères à protéger pour le bien de tous et le développement économique doit les prendre en charge[6]. » Se félicitant du sens du réalisme qu'ont acquis, il y a peu, certains écologistes, le monde politico-financier veut ainsi entreprendre la réconciliation historique de l'économie et de l'écologie, « faire de l'environnement le troisième facteur de production après le capital et le travail[7] » et « du propre, du pur et du responsable[8] », l'aiguillon d'une concurrence économique enfin favorable à l'homme et à la nature. Cet unanimisme de bon aloi débouchera, bien entendu, sur une réalité plus diverse et contrastée qu'on ne le laisse entendre aujourd'hui. A coup sûr, il ne manquera pas de politiques et d'industriels pour « surfer » sur la vague verte, faire carrière grâce à l'environnement ou s'en servir comme d'un paravent publicitaire, masquant des activités tout aussi polluantes que jadis. A l'inverse, il est certain que d'autres prendront la question écologique avec sérieux et s'emploieront à faire de la protection de l'environnement une dimension nouvelle de la politique économique et de l'entreprise. Quoi qu'il en soit, on peut dès maintenant être sûr

---

6. Interview de Brice LALONDE, in *La Recherche-Environnement*, supplément au n° 212 de *La Recherche*, juil.-août 1989, p. 6.

7. L'expression est de Tyll Necker, le patron des patrons allemands. Cf. *Politis*, 16-22 juin 1989, p. 18.

8. Il s'agit d'un slogan publicitaire de Rhône-Poulenc. Cf. *Libération*, « La Terre perd la boule », *op. cit.*

d'une triple évolution : la concurrence pour le vert fera des victimes parmi les industriels[9], les consommateurs paieront l'essentiel de la note[10], et le marché européen de l'environnement, bénéficiant de l'entrée en vigueur de l'Acte unique, progressera de manière rapide et spectaculaire. Ainsi, selon le BIPE, il devrait presque doubler d'ici à l'an 2000 et atteindre 500 milliards de francs environ. Et encore ce chiffre laisse-t-il de côté l'énorme marché, littéralement incalculable, qui s'est ouvert à l'Est depuis l'écroulement du mur de Berlin.

Plus que l'épuration de l'eau ou la lutte contre la pollution atmosphérique et sonore, le traitement

---

9. C'est déjà le cas. Pour de plus amples renseignements, cf. « Le pactole de l'antipollution », in *L'Usine nouvelle*, 8 juin 1989, p. 8-13, et « Les industriels passent au vert », in *Le Monde*, supplément « Monde des affaires », 24 juin 1989, p. 1-8.

10. Le principe pollueur-payeur (PPP) qui se trouve à la base des politiques de l'environnement dans les pays industriels, en est un bon indice. Ce principe, défini par l'OCDE en 1975, signifie que le pollueur doit se voir imputer les dépenses relatives aux mesures de prévention et de lutte contre la pollution arrêtées par les pouvoirs publics. Il est donc le premier payeur, mais rien ne l'empêche de répercuter le coût de ces mesures dans les prix (cf. Jean-Philippe BARDE et Emilio GERELLI, *Économie et politique de l'environnement*, PUF, Paris, 1977, p. 133-149). Récemment interviewé par le mensuel *Ça m'intéresse*, Jean TAILLARDAT, directeur de la communication chez Esso, déclarait : « Nous avons le sentiment d'être une industrie à risques, une industrie polluante si nous ne faisons pas très attention. Si nous n'avions pas le souci de l'environnement, l'opinion publique l'aurait su très vite, car elle est souvent très vigilante pour ce qui se passe sur le plan de l'environnement. Ce n'est pas mauvais que l'opinion publique devienne écologiste parce que cela veut dire que le consommateur accepte de payer le prix pour un produit moins polluant. On veut un monde moins pollué. Il faut accepter de le payer » (*Ça m'intéresse*, n° 107, janv. 1970, p. 67).

des déchets[11] donne une idée précise de ce que pourrait devenir, si l'on n'y prend garde, ce marché de l'environnement : une forme de l'économie duale et de la société à deux vitesses. Un pont d'or pour certains, une roue de secours pour d'autres...

La division sociale du marché des déchets est, en effet, déjà largement engagée.

D'un côté, on trouve le *big business* des déchets, de gigantesques firmes nationales ou multinationales, telles Waste Management International (WMI) au États-Unis, leader mondial dans le domaine, qui ont la capacité industrielle et financière de traiter les montagnes de déchets ménagers ou industriels de la planète, et tout spécialement les matières dangereuses. Il s'agit là d'un secteur à haut profit, doté d'une réglementation provisoire ou incomplète, et donc sujet à d'innombrables scandales, depuis l'exportation des déchets dits spéciaux en Afrique et en Europe de l'Est jusqu'aux fûts hautement toxiques « oubliés » dans une décharge ou au fond des mers[12]. Lorsqu'on sait que selon l'Entente européenne de l'environnement (EEE), il se produirait chaque année, à l'échelle du globe mais principalement dans les

11. L'expression « traitement des déchets » est la manière courante, propre et polie, de désigner les techniques « d'élimination » suivantes : l'incinération, le traitement physico-chimique, l'immersion, l'enfouissement, le recyclage ou... la mise à la décharge.

12. Sur ces scandales on peut lire : Bureau de reportage et de recherche d'information (BRRI), *L'Afrique a faim, v'là nos poubelles*, Éd. du Centre-Europe-Tiers monde (CETIM), Lausanne, 1989 ; ou François ROELANTS DU VIVIER, *Les Vaisseaux du poison*, Le sang de la Terre, Paris, 1988.

pays industrialisés, 500 millions de tonnes dont seulement un tiers font à l'heure actuelle l'objet d'un traitement[13] et que, par ailleurs, le coût moyen d'élimination d'une tonne serait passé aux États-Unis de 10 dollars en 1976 à 100 en 1986, on imagine aisément les masses financières qui sortiront demain des poubelles du monde développé.

De l'autre côté, on rencontre le marché des déchets du pauvre, du quart monde, des « rebuts » de la société moderne. Une association périgourdine, le Centre départemental d'information prévention et étude de l'inadaptation sociale (CDIPEIS) en offre, bien malgré elle, la triste illustration. Ayant pour objectif d'aider les jeunes délinquants à se réinsérer, cette association a créé en 1983 un atelier de collecte sélective des déchets, le CSD, installé à Périgueux. Employant douze jeunes TUC, anciens chômeurs, toxicomanes ou petits délinquants, encadrés par deux éducateurs, le CSD assure la récupération auprès des particuliers et des entreprises de la ville des matières premières et des objets encombrants. Les unes (papier-carton, verre, métaux divers) sont revendues à des centres voisins de traitement et de recyclage. Les autres, essentiellement du mobilier et des appareils électro-ménagers, sont, en fonction de leur état, soit réparés et cédés à bas prix, soit démontés et recyclés, matériau par matériau. Pour

13. Les deux tiers sont purement et simplement envoyés à la décharge.

les jeunes chargés de ce travail, le CSD représenterait, dit-on, « un stade intermédiaire entre leur vie antérieure et leur arrivée sur le marché du travail » qui, pendant quelques mois, serait « l'occasion de réapprendre les contraintes de la société ». Outre ses aspects positifs sur le plan écologique, économique, éducatif et social, « ce système de valorisation des rebuts de notre société » permettrait également, par le biais d'un travail constructif et créatif, « la revalorisation psychologique de l'individu marginalisé [14] ».

La technocratie verte et le systémisme

Qu'il y ait beaucoup d'argent à gagner et quelques dizaines voire quelques centaines de milliers de chômeurs à employer dans le marché de l'environnement n'est pas la seule raison qui incite à penser que l'écologie post-moderne a de beaux jours devant elle. Elle puise aussi son dynamisme dans l'existence de la technocratie verte qui a connu un important développement dans les vingt dernières années.

Tentons de dresser le tableau, nécessairement incomplet, des conceptions que se fait de l'écologie cette nouvelle technocratie. Chez certains, les visées théoriques et globalisantes de l'écologie sont

14. Ces remarques sont extraites du compte rendu des activités de l'association fait par François PICHON, « La récupération, une solution au chômage », in *Combat Nature*, fév. 1989, p. 37-38.

reléguées au second plan. L'écologie n'est pas un système général d'explication du monde mais une démarche essentiellement pragmatique, faite de contestations et de participations ponctuelles aux instances de décision, dont l'objectif est la lente réforme des comportements technico-économiques quotidiens, l'amélioration pas à pas du cadre de vie des pays industrialisés et la suppression patiente des injustices qui frappent le tiers monde. D'autres assignent à l'écologie de plus larges ambitions, non pas tant d'ailleurs d'un point de vue pratique que théorique. Se situant sur une fluctuante frontière entre des modes de pensée anciens et nouveaux, l'écologie permettrait à l'humanité de s'affranchir de sa confiance excessive en la science, l'économie et la technique grâce à la prise en compte de la complexité planétaire croissante des relations entre l'homme et la nature. Tirant les leçons du passé, de ses erreurs comme de ses bienfaits, elle ferait litière du mythe du progrès indéfini sans verser pour autant dans l'idéalisme et l'inefficacité. A la fois scientifique, agissante et humaine, elle devrait engendrer chez l'homme de science, le décideur ou le citoyen une conscience et des habitudes nouvelles, combinant le respect de la nature et les nécessités de l'artifice humain. Elle incarnerait en un mot l'humanisme de l'avenir. D'autres enfin accordent à l'écologie un statut plus ambitieux encore. Elle ne serait pas seulement une forme renouvelée de l'humanisme mais représenterait une véritable révolution culturelle, un bouleversement complet des façons d'appréhender et d'agir dans le monde, fondé, en dernier ressort, sur ce que l'on a coutume d'appeler l'approche systémique. Celle-ci mérite une attention particulière car, en dépit de sa complexité, elle a connu depuis une quinzaine d'années une large diffusion dans les milieux écologistes et a influencé, tout au moins dans sa vulgate, d'importantes fractions de la technocratie verte, pragmatiques, néo-humanistes ou autres.

Espoir d'un savoir transdisciplinaire et d'une pédagogie multidimensionnelle, l'approche systémique procède de la volonté de dépasser la division scientifique traditionnelle entre sciences exactes et sciences humaines afin d'appréhender la complexité de relations entre nature et culture. Accusant les anciens savoirs de réductionnisme, elle veut fournir, au travers de concepts carrefours tels que ceux d'information et d'énergie, d'ordre et de désordre, de complexité et d'auto-organisation, de *feed-back*, de régulation et d'entropie, une vision globale qui saisisse l'unité des mécanismes fondamentaux de la nature, de l'homme et de la société. S'il ne fait aucun doute que l'approche systémique relève du désir, légitime et utile, de rompre le cloisonnement de la science contemporaine, si elle a déjà donné des résultats féconds [15], il n'est pas moins vrai qu'elle a connu de multi-

15. Nous pensons ici, notamment, aux travaux d'Edgar Morin, Jean-Pierre Dupuy, Henri Atlan, Jacques Robin, etc.

ples dérives. La principale d'entre elles est d'avoir débouché sur un nouveau réductionnisme scientiste, véhiculant une représentation cybernético-organiciste du monde, à base de flux d'information et d'énergie[16]. Cela ne l'a pas empêchée, bien au contraire, de rencontrer à partir des années soixante-dix un large retentissement. Cette représentation a en effet séduit de très nombreux scientifiques et écologistes, déçus par le marxisme ou les limites de leurs sciences respectives et en quête d'une nouvelle grande doctrine explicative du monde. La plupart d'entre eux y ont vu un savoir original et totalisant qui venait bousculer les académismes, dénoncer les impasses du modèle de croissance d'après guerre et repenser les relations homme-science-technique-nature à la lumière des découvertes les plus récentes liées au développement de l'informatique. Elle devenait ainsi ce que l'on pourrait appeler la philosophie spontanée de l'écologie post-moderne.

Du macroscope à la planète Mars

De tous les systémistes français, le biologiste et informaticien Joël de Rosnay est incontestablement celui qui est à la fois le plus connu du grand public et celui qui a fourni l'expression la plus

16. Pour une critique complète de ce réductionnisme, cf. Guy BÉNEY, « La citoyenneté... », *op. cit.*, ou Jean-Philippe FAIVRET, Jean-Louis MISSIKA et Dominique WOLTON, *L'Illusion écologique*, Le Seuil, Paris 1980.

pure — en même temps que la plus caricaturale — de ce systémisme écologisant et post-moderne. Dans *Le Macroscope*[17], paru en 1975, et que certains n'ont pas hésité à présenter comme « le petit livre vert » des écologistes, il donnait cette définition de l'approche systémique : « Il ne faut pas la considérer comme une "science", une "théorie", une "discipline", mais comme une méthodologie, permettant de rassembler et d'organiser les connaissances en vue d'une plus grande efficacité de l'action[18]. » *A contrario* de l'approche analytique, connaissante et statique, la pensée systémique est ainsi inventive et dynamique, opérationnelle, et doit donc engendrer du changement social. C'est-à-dire, pour Joël de Rosnay, une nouvelle économie, une nouvelle société et un nouveau monde :

• *Une nouvelle économie.* Reposant sur une redéfinition de l'acte économique dépassant la notion étriquée de valeur monétaire et la complétant par celle de coût énergétique exprimé en unité de mesure universelle, fondée sur une attitude de coopération avec la nature, cette nouvelle économie assurera la réconciliation de l'économie traditionnelle et de l'écologie. Elle sera caractérisée par le développement de produits moins consommateurs d'énergie, la mise en œuvre de technologies douces et l'expansion du secteur des services. Ayant

17. Joël DE ROSNAY, *Le Macroscope*, Le Seuil, Paris, 1975.
18. ID., *ibid.*, p. 91.

choisi la solution idéale, copier la nature, elle sera dominée par la bio-industrie et l'engineering écologique : « L'éco-engineering devra fournir aux hommes, à partir de méthodes nouvelles (comme l'analyse énergétique), les moyens leur permettant pour la première fois de manipuler consciemment les circuits énergétiques de l'éco-système pour le bien de l'homme et de la nature.

« Comme des médecins et des chirurgiens travaillant de l'intérieur même de l'organisme, nous pourrons alors rétablir les grandes boucles de récompense et de renforcement sur lesquelles se fonde "l'économie" de la nature. Refermer, reconnecter et par là même "naturaliser" les chaînes et réseaux du système socio-économique, comme ceux qui servent à l'élimination des déchets ou à la production de nourriture. Nous pourrons développer des espèces bactériennes nouvelles susceptibles de nous assister plus efficacement dans le recyclage des matériaux usés et l'élimination de déchets. Réaliser la fixation d'azote en ammoniac à grande échelle pour nourrir la population du globe. Modifier localement les climats pour cultiver de nouvelles zones, ou aider la nature à se réadapter aux agressions que nous lui faisons subir.

« Avec l'avènement de l'éco-engineering, cesseront les tâtonnements dangereux des apprentis sorciers que nous sommes. Alors seulement pourra se développer une relation de partenaires entre l'homme et la nature, base de l'économie nouvelle et de la société "post-industrielle" que nous avons à créer de toutes pièces[19]. »

• *Une nouvelle société.* Résultant de l'intégration de plus en plus poussée du cerveau des hommes, des réseaux de télécommunications et des ordinateurs, elle sera une société en temps réel, interactive et participative, décentralisée et repersonnalisée : « A long terme, les spécialistes des télécommunications sont d'accord sur le fait que ce sont les déplacements qui apparaîtront comme la solution la moins efficace et peut-être la plus coûteuse. Ce remplacement progressif de certaines formes de déplacement par les communications aura très probablement un effet profond sur l'organisation des grandes villes. Par suite de la décentralisation, les métropoles éclateront en communautés ressemblant à des villages dont les habitants pourront travailler de chez eux. Cette évolution conduira à la naissance d'une "nouvelle société rurale"[20]. »

• *Un nouveau monde.* Advenu en 8 A.C.[21], c'est-à-dire huit ans après la grande crise économique, l'écosociété mondiale[22] s'est organisée sur la base d'une relation équilibrée entre les hommes

---

19. Joël DE ROSNAY, *Le Macroscope, op. cit.*, p. 185-186.
20. ID., *ibid.*, p. 212-213.
21. Nous nous référons ici au scénario du futur construit par l'auteur à la fin de son ouvrage.
22. Ce scénario est intitulé « pour un monde » mais l'auteur prend soin de préciser qu'il ne concernera que les pays industrialisés...

et leur « maison », l'écosphère. De la maîtrise du vivant à la conquête de l'espace en passant par l'organisation politique, économique et sociale quoditienne, elle a pris pour devise : « L'écosociété, c'est la convivialité plus les télécommunications[23]. »

Depuis la parution du *Macroscope*, Joël de Rosnay n'a cessé d'enrichir et de peaufiner son projet d'écosociété. Les titres de ses ouvrages les plus récents parlent d'eux-mêmes : *Branchez-vous* en 1984, *Le Cerveau planétaire* en 1986, *L'Aventure du vivant* en 1988, *L'Avenir en direct* en 1989. En même temps qu'il s'affirmait de plus en plus clairement comme le Fourastié du XXIe siècle, la fiction devenait peu à peu réalité et il faut bien, maintenant, se rendre à l'évidence. La société de Joël de Rosnay entretient, malheureusement, plus d'une ressemblance avec la nôtre. Individualisme et informatique y font bon ménage dans l'illusion d'une convivialité apolitique et branchée. De même, l'évolution récente de la fraction dominante de l'écologie scientifique confirme, au moins dans les grandes lignes, ses thèses sur l'éco-engineering. La domestication du vivant par l'intermédiaire des biotechnologies et le contrôle écologique de la planète depuis l'espace[24] repré-

---

23. Joël DE ROSNAY, *Le Macroscope, op. cit.*, p. 316.

24. Cf. le programme *Missions Planet Earth* de la NASA qui a pour objectif un bilan de santé complet de la Terre grâce au lancement en 1991 et 1992 de deux satellites, *Uars*, et *Toppex-Poséidon*, et probablement

sentent désormais le quotidien et l'idéal des écologistes scientifiques du troisième millénaire. Par leur travail sur l'infinement petit, ils espèrent supprimer la faim dans le monde, et par celui sur l'infiniment grand, sauver la Terre. Et si par malheur les choses venaient à mal tourner, certains imaginent d'ores et déjà d'abandonner la planète pour des mondes meilleurs ou projettent la création de bulles artificielles. « L'erreur, écrit Guy Bény, serait de ne voir dans ces projets que de simples jeux prospectivistes. Leurs auteurs — gens influents, ''médiatiques'', ''conseillers des princes'' sont souvent des scientifiques de haut niveau, s'appuyant sur des théories de pointe (sélectionnisme neuronal, néoconnexionnisme, auto-organisation, etc.). Le vrai danger n'est donc pas tant qu'ils nous leurrent par un scientisme irréaliste, mais bien qu'''au train où vont les choses'', l'avenir ne leur donne que trop raison[25]. »

Quelles conquêtes reste-t-il à faire à cette écologie, et à la civilisation qui la sécrète, pour qu'elles deviennent, ensemble, pleinement postmodernes ? La nôtre bien sûr, celle des citoyens lambda qui s'interrogent sur l'avenir que leur réserve un développement scientifique et techni-

---

en 1996 et 1998 la mise en orbite polaire de deux plates-formes d'observation. Des projets similaires existent en Europe et au Japon. Cf. Ichtiaque RASOOL, in *Libération*, « La Terre perd la boule », *op. cit.*, p. 70-71.

25. Guy BÉNEY, « La citoyenneté... », *op. cit.*, p. 7.

que à la fois toujours plus présent et insaisissable, toujours plus fascinant et incontrôlable. Et puis, celle de la Lune, non pas seulement cette fois-ci pour y poser le pied mais pour s'y installer, une bonne fois pour toutes. Ce sera chose faite, en fonction des moyens que l'on y mettra dans dix, vingt ou trente ans. A l'occasion du vingtième anniversaire du premier pas de l'homme sur la Lune, le président des États-Unis, George Bush, a en effet officiellement annoncé la décision des Américains de partir à la reconquête de notre satellite. Ils devraient y établir un laboratoire permanent d'écologie dont l'objectif sera de trouver un remède à la destruction de la couche d'ozone et d'étudier les possibilités d'exploitation de l'hélium, gaz très rare sur Terre et dont on attend beaucoup pour l'avenir énergétique de l'humanité. La Lune devrait également servir de base intermédiaire pour entreprendre la conquête de Mars. Sur la planète rouge, les Américains installeront, non pas un simple laboratoire écologique, mais une vraie Terre en modèle réduit dont ils achèvent, en ce moment même, la fabrication au nord de Tucson, dans le désert de l'Arizona. Cette Gaïa en miniature porte le nom de *Biosphère II*. On y trouve, sur un espace d'un hectare emprisonné sous une bulle vitrée, un océan, une forêt tropicale humide, un désert, une savane, des animaux domestiques et sauvages, une zone d'élevage et de culture, des maisons, des bureaux, des espaces de loisirs, et même quelques êtres humains, les Biosphériens, dont le souhait le plus cher est d'être sélectionnés pour le grand voyage. Leurs vœux seront-ils exaucés ? Il y a fort à parier que non et qu'à bord de la fusée pour Mars ne s'embarqueront que leurs clones...

Une nouvelle citoyenneté ?

Redescendons sur Terre. L'écologie sera peut-être la voie royale de la civilisation post-industrielle, mais on ne peut encore jurer de rien. Qui peut savoir en effet si, demain, une soudaine extension du trou dans la couche d'ozone, un effet de serre plus chaud que prévu ou une catastrophe nucléaire plus grave que celle de Tchernobyl ne viendront pas réduire à néant les ambitions de l'écologie post-moderne et jeter une funeste lumière sur l'illusion qui la hante et la fait vivre : celle de croire qu'une relation plus équilibrée de l'homme et de la nature pourrait naître d'une sophistication croissante de la science et de la technique. Mais rassurons-nous. Même sans apocalypse, on peut fort bien imaginer que l'écologie prenne une autre voie que celle de la démiurgie post-moderne. Cette autre voie, c'est celle qui mènerait, au travers de la contestation écologiste, à l'avènement d'une nouvelle citoyenneté fondée sur des droits et des devoirs civiques inédits. Hypothèse séduisante, hautement plausible, sinon probable mais qu'il faut se garder, on va le voir, de parer de toutes les vertus.

Écologie et contestation civique

A l'origine des contestations écologistes, on rencontre généralement une initiative collective de citoyens en butte aux effets néfastes de la modernité. Ainsi, que l'on pense aux associations naturalistes américaines du XIXe siècle qui favorisèrent la création du parc de Yellowstone, ou aux mouvements qui en France, en Allemagne ou au Japon formèrent l'écologie gauchiste des années soixante-dix, ou bien encore à la lutte actuelle des *seringueiros* d'Amazonie qui coûta la vie en décembre 1988 à Chico Mendes, on est toujours confronté, en dépit de l'infinie variété des situations, des motivations et des objectifs, au même processus. La contestation écologiste prend naissance dans une opposition civique à l'ordre étatico-marchand et trouve le plus souvent dans le regroupement associatif la forme première et principale de son combat. Ni cette réaction civique de base, ni ce recours à l'association ne constituent, bien sûr, un fait social nouveau qu'aurait inauguré la contestation écologiste. Et on peut même dire, tout au contraire, que celle-ci plonge ses racines dans l'histoire universelle de la protestation sociale et représente un amalgame de traditions extrêmement diverses : l'irrédentisme paysan, le socialisme utopique, le mutuellisme et la coopération ouvrière, le marxisme, le gauchisme, le lobbying consumériste, etc. En revanche, ce qui fait très probablement la nouveauté de l'écologie, c'est l'extraordinaire extension qu'elle a donnée tant à la vie associative qu'aux domaines de la contestation civique. Tous les mouvements écologistes nationaux d'une certaine importance reposent aujourd'hui sur une puissante base associative, rassemblant des centaines de milliers voire des millions de sympathisants et puisent leur vitalité de l'engagement de ces derniers dans une myriade de combats civiques et quotidiens qui concernent, peu ou prou, l'ensemble de la vie sociale. Un bref inventaire raisonné, et par conséquent non exhaustif, des luttes dites écologiques permet de mesurer l'ampleur du phénomène :

• *Luttes pour la protection de la faune et de la flore* : maintien d'espèces et de variétés en voie de disparition, création de zones protégées, interdictions communales.

• *Luttes pour le dédommagement des populations lors de catastrophes naturelles ou technologiques* : inondations, tremblements de terre, marées noires, accidents nucléaires, pollutions chimiques.

• *Luttes pour la préservation du territoire de l'emprise étatico-marchande* : oppositions au nucléaire civil et militaire, à la construction d'aéroports, d'autoroutes, de barrages d'installations touristiques, à la création de décharges et aux opérations autoritaires de remembrement, défense des identités régionales.

• *Luttes pour d'autres politiques sectorielles* dans le

domaine de la défense, de l'énergie, des transports, de la consommation, de la santé, du bruit et expérimentations sociales diverses : développement local rural, agriculture biologique, énergie solaire et éolienne, écomusée.

Droit des gens ou camisoles civiques ?

A ces luttes écologiques, on adresse habituellement quantité de critiques qui proviennent d'ailleurs aussi bien de l'intérieur que de l'extérieur du mouvement écologiste. On dénonce leur excessive hétérogénéité, leur caractère partiel et ponctuel, leur aspect strictement défensif et conservateur, ou, à l'inverse, leur dimension révolutionnaire et utopique. A l'évidence, ces critiques ne sont pas sans fondement et soulignent la difficulté bien réelle que rencontrent actuellement tous les mouvements écologistes à former un ensemble cohérent, susceptible de promouvoir un projet politique global. Mais, en même temps, elles mettent en évidence ce qui est sans doute l'originalité même de la contestation écologiste : incarner une nouvelle forme de citoyenneté, une citoyenneté du quotidien, éclatée car enracinée dans la multiplicité des inscriptions sociales, des rôles et des visages de l'individu moderne (urbain, rural, civil, militaire, usager des services publics, consommateur, automobiliste, piéton, victime de catastrophes, membre d'une minorité, etc.). Ainsi, dans bien des combats écologiques locaux, on retrouve puisés chez Tocqueville, Mounier, Illich ou Marx, des thèmes majeurs de la pensée politique : le dépérissement de la société civile lié à la montée de l'individualisme et de l'État tutélaire, l'économisme commun aux systèmes libéral et communiste, ou le caractère formel des droits de l'homme face aux puissances industrielles et financières. Plus concrètement, les luttes écologiques manifestent, soit de manière constructive, soit par leur conservatisme même, une aspiration à de nouveaux droits et devoirs civiques attachés aux différentes facettes de l'individu moderne : droit de l'habitant, droit à un contrôle sur l'évolution de la science et de la technique, droit de l'usager, droit des minorités, droit à l'autonomie et à des formes plus directes de démocratie, devoir de respect envers la nature, devoir de solidarité, d'entraide et de voisinage, devoir d'un mode de vie plus économe, etc. Bref, on peut légitimement penser qu'à travers la fragmentation même des luttes écologiques, c'est à l'ébauche d'une nouvelle citoyenneté que l'on assiste.

Reste cependant à faire preuve de la plus grande circonspection à l'égard de cette nouvelle citoyenneté. Elle peut, en effet, fort bien correspondre à l'avènement de la civilisation postmoderne. Dans cette optique, la multiplication des droits catégoriels ne serait rien d'autre que la traduction d'un morcellement croissant de la société civile et accompagnerait l'expansion de l'individualisme et le développement de groupes sociaux disposant de situations et de statuts inégaux. Confirmant la prophétie tocquevillienne, un État techno-bureaucratique, toujours plus puissant et bienveillant, viendrait couronner et administrer cet édifice social éclaté en une infinité de cellules civiques, sortes de camisoles ouatées ou de force selon les cas. Une tout autre interprétation est néanmoins envisageable. Après les droits politiques de 1789, les droits économiques et sociaux des années 1930-1950, cette nouvelle citoyenneté consacrerait l'émergence d'une troisième génération de droits, un véritable « droit des gens », qui assurerait un renouveau de la vie démocratique et une amélioration substantielle de la condition des personnes. Qui peut aujourd'hui, sans céder d'une façon ou d'une autre à la caricature, décider laquelle de ces deux voies l'emportera dans l'avenir ?

Vers un renouveau de l'écologie politique ?

Entre l'écologie de la citoyenneté et l'écologie politique, il ne faut pas imaginer de frontière étanche, de coupure radicale : lorsqu'il ouvre dans l'espace démocratique des brèches inattendues et favorise l'éclosion d'un droit des gens, le civisme écologique ouvre la voie à l'écologie politique. Pourtant, aux militants et sympathisants des causes ponctuelles, les écologistes radicaux tiennent habituellement le langage suivant : « Vous ne pouvez vous limiter à la défense de votre environnement quotidien. Aussi urgent et indispensable que soit ce combat, il n'est qu'un remède aux symptômes, il ne s'attaque pas aux causes profondes de la destruction de la nature et de la dégradation de la condition humaine. Condamnation globale de la civilisation actuelle, l'écologie constitue une culture au sens le plus large du terme et doit donc déboucher sur un projet général de transformation sociale, dans chaque pays et à l'échelle planétaire. » Vieille adresse des révolutionnaires aux réformistes ? Certes, mais seulement en apparence. Car, nous allons le voir, pour comprendre ce qu'est aujourd'hui l'écologie politique, il faut au préalable se défaire de toute vision doctrinaire et dogmatique.

La nébuleuse non conformiste

A première vue, on serait tenté de penser que l'écologie politique ne fait plus vraiment partie de l'esprit du temps. Il est vrai qu'elle est entrée au tournant des années quatre-vingt dans une phase d'intense reflux, parallèle à celle des grandes idéologies contestataires. L'expansion du néo-libéralisme reaganien et thatchérien, le ralliement massif de la gauche européenne à la logique du marché, les désillusions communautaires et politiques des écologistes post-soixante-huitards, ou leur culpabilisation vis-à-vis de la nécessaire compétence scientifique et technique et leur reconversion dans la communication ou les technologies douces ont constitué les principales raisons de ce silence décennal. Faut-il pour autant considérer l'écologie politique comme définitivement enterrée ? Ce serait là, pensons-nous, aller bien vite en besogne. D'une part, de Thomas More à Fourier, Huxley ou Orwell, l'utopie entretient avec l'écologie des relations d'affinité profonde qu'une mise en sommeil de dix ans ne saurait éteindre. Et ce d'autant plus qu'il n'a pas même manqué d'écologistes pour réaffirmer durant ce laps de temps le lien indissoluble qui unit la question de la nature et celle de la liberté[26]. D'autre part, si l'écologie politique a perdu ses habits gauchistes et n'entre plus dans le cadre de sagas ouvrant le chemin à un nouvel âge d'or, cela ne signifie nullement qu'elle ait disparu. Ne peut-on imaginer, en effet, qu'elle ait tout bonnement changé de forme, de visage ? Ne serait-elle pas devenue, à l'image de l'ensemble du mouvement écologiste, une nébuleuse ?

C'est ce que confirme une brève incursion dans les dédales de ce que l'on peut appeler le non-conformisme écologique des années quatre-vingt. Celui-ci s'exprime d'abord dans ce noyau dur de l'écologie contestataire que sont les courants antimilitaristes et antinucléaires, que l'on pense aux

26. Cf. notamment en France les travaux de Bernard Charbonneau ou Jacques Ellul, aux États-Unis ceux de Murray Bookchin ou Theodore Roszak.

actions spectaculaires de Greenpeace contre les essais atomiques français ou la flotte sous-marine soviétique, ou à l'opposition, moins connue mais tout aussi farouche, des mouvements non-violents aux complexes militaro-industriels des grandes puissances. Il se manifeste également, de manière constructive, dans un foisonnement d'expériences alternatives, dont les plus célèbres en Europe de l'Ouest sont celles de l'économie parallèle allemande, directement issue des comités locaux de citoyens créés au début des années soixante-dix. Ou bien encore au travers des succès remportés par certains mouvements écologistes d'Europe de l'Est (fermetures de centrales nucléaires, d'industries chimiques, arrêt du projet de détournement des fleuves sibériens, etc.) qui ne se satisfont que partiellement de la *perestroïka* et cherchent à se poser en véritable alternative démocratique au système actuel[27]. On trouve aussi de nombreuses traces d'un non-conformisme écologique dans le monde scientifique et intellectuel. En France par exemple, les inconditionnels d'Ivan Illich, Ernst Friedrich Schumacher ou André Gorz, les fidèles de René Dumont, Serge Moscovici, Jacques Ellul, Jean Chesneaux, Edgar Morin, Cornélius Casto-

---

27. Pour de plus amples informations, on se reportera aux travaux de Patrice MIRAN (cf. notamment « L'écologie mène à la démocratie », in *Silence*, n° 122, oct. 1989, p. 17-18), à la revue *Nouvelles Alternatives* et au numéro récent de *Problèmes politiques et sociaux* consacré à ces questions (cf. Hélène MANDRILLON « Environnement et politique en URSS », n° 621, La Documentation française, déc. 1989).

riadis ou Paul Virilio, les défenseurs des thèses récentes de Félix Guattari sur l'écosophie ou des chercheurs tels qu'Ignacy Sachs, Guy Béney ou René Passet appartiennent, malgré des sensibilités voire des prises de position différentes, à une même mouvance. Tous, sous des formes et à des degrés divers, dénoncent le réductionnisme de l'écologie environnementaliste, mettent en garde contre la marchandisation et la technocratisation croissante du « vert » et en appellent à un sursaut éthico-politique de l'écologie. Aussi paradoxal que cela puisse paraître à certains, on retrouve quelquefois cette même exigence au sein de la technocratie verte. Les instances écologiques européennes, les ministères de l'Environnement, les organismes régionaux ou locaux de conseil en matière de protection de la nature ne manquent pas de soixante-huitards et de contestataires momentanément réduits à la discrétion. En dépit de leur position actuelle de gestionnaires, ceux-ci conservent souvent l'espoir d'une écologie plus radicale. Enfin, celle-ci possède toujours une expression politique. Aux États-Unis, les écologistes anarchistes proches des thèses de Murray Bookchin, en France, en Grande-Bretagne et en Allemagne, certaines personnalités ou fractions des Verts, du Green Party ou des Grünen n'ont pas, loin s'en faut, désarmé : « L'histoire de l'écologie, déclarait récemment Daniel Cohn-Bendit, s'inscrit jusqu'à présent dans une dialectique apparemment contradictoire qu'il faut dominer, gérer :

dans un premier temps, l'écologie, ce fut la critique du politique, puis elle devint l'un des acteurs du politique ; désormais, elle doit, par sa capacité, devenir le centre d'intégration de la manière de concevoir une prospective, une utopie [28]. »

Les paradigmes de l'écologie politique

En première approximation [29], on peut définir la doctrine de l'écologie politique comme la *synthèse* des cinq paradigmes suivants :

1. L'écologie, culture globale, concerne l'ensemble des activités humaines, la question de la relation entre l'homme et la nature aussi bien que les affaires de la cité. Parce que le projet de maîtrise et de possession de la nature est, *en même temps*, un projet de contrôle de l'homme et de la société, l'écologie ne saurait être identifiée, sous la forme de « problème de l'environnement », à une dimension nouvelle de la politique, de la science, de la technique, de l'économie et de la culture. Elle doit au contraire permettre de repenser ces différents domaines de l'imagination et de l'action humaines, aussi bien dans leurs fondements théoriques que dans leurs applications concrètes.

---

28. Extrait de l'interview parue dans le mensuel *A suivre*, n° 136, mai 1989, non paginé.
29. Nous aurons l'occasion d'y revenir dans la deuxième partie de cet ouvrage.

2. Les impasses de la civilisation actuelle sont, en dernier ressort, fondées sur le dogme occidental de l'expansion illimitée des désirs et des besoins. Sans pour autant chercher à revenir à un état « primitif » ou « sauvage », il est devenu nécessaire de redéfinir ceux-ci et de tendre, consciemment et volontairement, à leur limitation. Au lieu de faire plus avec plus, ou plus avec moins, il faut tenter de faire différemment et mieux avec moins.

3. Ce nouveau paradigme suppose un changement radical des valeurs, tant au niveau individuel que collectif. Des notions telles que celles d'économie, de service, de don, de gratuité et d'équité doivent devenir les ressorts principaux de l'action individuelle. La croissance pour la croissance, les techniques de manipulation de masse, la fuite en avant de la science et de la technique, la mise au travail généralisée sont génératrices de besoins artificiels et doivent donc être remises en cause ou abandonnées. Dans le domaine crucial du travail, il faut promouvoir non pas une libération par le travail mais une libération du travail, qui libère en même temps du besoin frénétique de consommer.

4. Cette révolution dans les valeurs repose elle-même sur un renouveau des formes de vie microsociales et communautaires. Rompant avec le déracinement qui débouche sur la centralisation et l'uniformisation, la société écologique est fondée sur un emboîtement de groupes restreints, de dimensions variables selon les lieux et les cas, mais toujours à la mesure de l'homme, et qui permettent le respect et l'épanouissement de cultures et d'identités diverses. Ces micro-sociétés doivent être conviviales, c'est-à-dire que l'usage de la technique, l'organisation économique, la vie sociale doivent y être fondées sur des relations de proximité, de réciprocité et d'indépendance qui assurent la solidarité du groupe et l'autonomie de chacun de ses membres.

5. Ce renouveau des micro-sociétés doit trouver son répondant sur le plan politique. Une plus grande autonomie des collectivités territoriales, de réels pouvoirs de décision sociétale, des formes plus directes de démocratie doivent permettre de « resubstantialiser » la démocratie représentative et de déboucher, à plus long terme, sur un dépassement de l'État-nation qui évite l'écueil du supra-jacobinisme. Une Europe, des continents, une planète, organisés sous une forme fédérale, pourraient en être le modèle.

L'écologie politique contre la sud-africanisation du monde

Si cette doctrine, très largement inclassable dans le champ des idéologies traditionnelles de droite et de gauche, constitue le cœur de l'écologie politique, la théorie sociopolitique implicite ou explicite de tous les mouvements écologistes non conformistes, ceux-ci puisent également la matière de leurs projets dans trois problèmes récents qui dominent depuis environ une dizaine d'années l'actualité nationale et internationale : le chômage, la pauvreté et la multiplication des exclus dans les pays industrialisés, la montée du racisme et la question immigrée en Europe, la dette du tiers monde et le fossé grandissant entre pays riches du Nord et pays pauvres du Sud. En témoigne, parmi bien d'autres initiatives, *The Other Economic Summit* (TOES), cet autre sommet économique qui fut organisé les 15 et 16 juillet 1989, à Paris, pour concurrencer la réunion des chefs d'État et de gouvernement des sept pays les plus industrialisés. On lira ainsi avec attention le texte de l'appel au TOES 89 (cf. encadré), car il est particulièrement révélateur de la jonction qui s'est opérée entre des éléments essentiels de la doctrine de l'écologie politique et les problèmes majeurs de la décennie quatre-vingt. Il manifeste, mieux que tout autre exemple, que l'écologie politique a désormais trouvé le sens de son combat présent : lutter contre la dualisation des sociétés, la sud-africanisation de la planète.

Que sortira-t-il demain du labyrinthe écologique ? Une civilisation post-moderne ? Une citoyenneté nouvelle ? Un renouveau de l'écologie politique ? Ou bien encore une étrange et contradictoire mixture des trois ? A première vue, la voie post-moderne paraît la plus plausible. Elle est dans

Appel
pour un autre sommet économique

Les chefs d'État des sept pays les plus industrialisés vont tenir leur prochain sommet à Paris le 14 juillet 1989. La coïncidence avec le bicentenaire de la Révolution française n'est pas fortuite. Deux siècles de progrès ont vu naître, grandir des sociétés de libre-échange et de démocratie politique où les techniques, les sciences médicales et les communications se sont développées de façon impressionnante.

Mais ce « progrès » brandi comme un étendard cache de profondes failles au Nord comme au Sud. Peut-on encore parler de « progrès » devant la faim du paysan africain, l'exploitation de l'ouvrière asiatique, l'exclusion du chômeur européen ? Que signifie une « croissance » devenue un but en soi et déconnectée des aspirations de la vie quotidienne ? Que devient la démocratie quand les technocraties imposent leurs choix aux élus et aux populations ?

Quel peut être l'avenir d'un monde où l'humanité multiplie les moyens de s'anéantir par les armes, les déséquilibres écologiques, les risques technologiques majeurs ? Où les scientifiques du nucléaire, de la biologie, de l'armement, n'assument pas les conséquences des applications de leurs recherches ? Où les moyens d'information et de consommation diffusent un mode de vie uniforme au détriment de la diversité des cultures ? Où la plupart des personnes n'ont pas les droits politiques fondamentaux ? Où certains pays voient leurs efforts de développement anéantis par les spéculations boursières ? Où l'exode rural, l'urbanisation et l'exportation de la pollution apparaissent comme de nouvelles formes d'oppression ?...

Ce n'est pas en concentrant davantage le pouvoir au niveau international que l'on pourra progresser. Au contraire, la mondialisation des échanges exige l'action de tous et le développement des capacités d'autonomie et de coopération volontaire.

La réunion à Paris des chefs d'État est l'occasion d'organiser un autre sommet international, celui du « tiers état » d'aujourd'hui. Cet autre sommet est celui des personnes et des groupes qui veulent par leurs engagements défricher des voies nouvelles.

Acteurs des luttes sociales et écologiques, acteurs du développement local, responsables de la vie politique et de la recherche, citoyennes, citoyens, ce sommet est le vôtre.

Spectateurs du sommet des 7 chefs d'État
devenez acteurs de l'Autre Sommet
« TOES 89 » !

Source : Comité d'organisation du TOES 89.

l'air du temps, a les faveurs de l'*establishment* politico-financier, dispose d'importants relais institutionnels au sein du mouvement écologiste lui-même, et les prodiges scientifiques et techniques qu'elle promet exercent indubitablement une grande fascination sur l'opinion publique. Mais cela suffira-t-il ? Le soupçon et les interrogations grandissantes qui pèsent sur les vertus salvatrices de la science et de la technique, le refus de plus en plus souvent exprimé d'une dérive environnementaliste de l'écologie débouchant sur un aménagement étatico-marchand de la nature constituent d'ores et déjà un puissant contrepoids aux visées rationalisatrices du projet post-industriel. De même, les valeurs individualistes ou néo-individualistes sur lesquelles celui-ci repose ne sont peut-être pas aussi partagées qu'on veut bien le dire et une radicalisation des mouvements écologistes reste toujours dans le domaine du possible. On pourrait, à propos de l'écologie politique, faire à peu près les mêmes remarques, mais en sens inverse. Son développement semble, *a priori*, improbable. Toutefois, elle pourrait fort bien trouver un second souffle, si les contestations, aujourd'hui partielles et fragmentées, de la dualisation et de la déshumanisation des sociétés contemporaines venaient à s'unifier et à donner naissance à un véritable mouvement social, à un réel courant politique. Quant à l'hypothèse d'une nouvelle citoyenneté, elle est, elle aussi, frappée du sceau de l'incertitude : on l'a vu, elle est suffisamment ambiguë pour venir conforter aussi bien le projet de l'écologie politique que le déploiement de la civilisation post-industrielle. Reste enfin à examiner un dernier scénario, amalgame de post-modernité, d'écologie politique et de civisme écologique, que l'on pourrait décrire sous la forme d'un *oïkos*, d'une « maison » à plusieurs étages. La technoscience, la *nomenklatura* politique et les capitaines d'industrie et de la finance en occuperaient le niveau supérieur : ils y poursuivraient ensemble, de produits propres en manipulations génétiques et biosphères artificielles, leur recherche d'un contrôle planétaire total, leur quête indéfiniment reconduite d'un pouvoir et d'un savoir enfin confondus. Au rez-de-chaussée ou au sous-sol, se réfugieraient les alternatifs, les exclus des mondes développés, sous-développés et en voie de développement, les marginaux de tout genre, de fait ou d'esprit ; ils s'emploieraient à y creuser les fondations d'une autre « maison », à inventer, de niches écologiques en économies parallèles, des espaces nouveaux de liberté, d'égalité et de convivialité. Entre le haut et le bas de cet édifice, se distribueraient à différents étages, en fonction de leur situation matérielle, de leurs projets existentiels et de leur degré de connivence avec les réseaux de pouvoir, la masse des hésitants, les majorités dites silencieuses, les classes moyennes d'Occident et d'ailleurs, partagées entre le souci de préserver ou d'accroître leur bien-être et la conscience de plus en plus vive des menaces de tous ordres, qui pèsent sur leur « environnement ». Cette partie de l'édifice serait particulièrement instable : y vacilleraient, de combats civiques en catastrophes écologiques, les principes anciens de la citoyenneté et les structures vieillies de l'État-nation. Prolongement ou renforcement des tendances actuelles, ce scénario bénéficie de tout le poids du « réel », du présent, et paraît, à ce titre, le plus probable. Serait-il viable, durable ? Rien n'est moins sûr, eu égard aux tensions sociales qui ne manqueraient pas de miner un tel édifice.

II

L'écologie entre ciel et terre

Comment l'écologie peut-elle constituer une alternative à cette société à haut risque technologique et social que nous voyons poindre chaque jour davantage ? Comment parviendra-t-elle à ne pas être, elle-même, partie prenante de l'avenir à plusieurs vitesses que nous venons d'évoquer ? A ces questions d'envergure, on n'opposera ici que des pistes d'exploration, des coups de sonde sur deux thèmes fondamentaux constitutifs de l'identité et de la conscience écologiques : la volonté de promouvoir une définition radicalement autre des besoins et des moyens de les satisfaire ; un attachement essentiel à la terre, aux paysans et à un espace rural façonné par des siècles d'histoire et créateur d'authenticité, d'équilibre et d'harmonie. C'est en effet, croyons-nous, en opérant un retour sur elle-même que l'écologie pourra dépasser le déchirement entre tradition et modernité, passéisme et futurisme, qui caractérise, nous l'avons vu tout au long de la première partie, la nébuleuse écologiste.

La parution récente de l'ouvrage d'Antoine Waechter, *Dessine-moi une planète. L'écologie, maintenant ou jamais*[1], est à cet égard très éclairante. En consacrant l'un de ses premiers chapitres et de multiples autres développements à « l'exigence de sobriété », le porte-parole des Verts s'indigne contre le fait que nous vivons au-dessus de nos moyens et que nous avons déjà commencé à le payer bien trop cher. Qu'il s'agisse de l'énergie consommée par l'industrie, les transports ou l'agriculture productiviste, les effets sont, pour lui, les mêmes : pollutions diverses, destruction d'espèces et de paysages, aliénation et perte de liberté. « Le pollueur est d'abord un égoïste », écrit-il, en appelant à une réduction drastique de nos consommations qui « empoisonnent la sphère vivante de la planète ». De la même manière, il déplore la colonisation des campagnes et critique avec véhémence « la schizophrénie agricole » et la défiguration de la France. Contre l'agriculture chimique qui « force la nature », détruit les paysages et désertifie l'espace rural, il propose une sorte de « compagnonnage », une forme d'échange réciprocitaire entre les paysans et la nature. A l'asservissement et à la domination, il oppose « le dialogue

1. Antoine WAECHTER, *Dessine-moi une planète. L'écologie, maintenant ou jamais*, Albin Michel, Paris, 1990.

avec la terre, l'eau et le vent », créateurs « d'une mosaïque de paysages vivants et harmonieux ».

Bien qu'il développe une série d'analyses extrêmement argumentées et quoi qu'il s'inscrive, à n'en pas douter, dans l'espace de réflexion propre aux sociétés démocratiques, ce texte n'échappe pas à certaines ambiguïtés. En ce qui concerne la théorie des besoins d'abord. Comment pourra-t-on, par exemple, et à partir de quels principes, concilier une révision fondamentale de nos besoins avec le recours à l'informatique pour parvenir à « gérer de manière optimale l'eau, les sols, les paysages et les milieux » ? Ne retrouve-t-on pas là le vocabulaire de l'économie (qui n'est plus politique) dont les écologistes contestent par ailleurs radicalement les fondements théoriques et les effets pratiques ? Cette volonté de redéfinir les besoins des hommes pour les rendre compatibles avec le maintien des conditions de la vie sur la planète semble toutefois, chez Waechter, trouver sa source chez le paysan et, plus généralement, chez les occupants originels des territoires non urbanisés : Indiens d'Amérique du Nord, Mélanésiens, peuples de la forêt dont « l'ethnocide » a précédé celui des paysans qui s'accomplit sous nos yeux. Il déplore ainsi « l'agonie d'une société rurale qui vivait au rythme des travaux de la terre à laquelle son destin était lié, qui s'identifiait par ses savoir-faire, son langage, sa culture, l'histoire de ses villages et ce dialogue avec la Nature qui a enfanté tant d'harmonies et de richesses ». Écho contemporain du sauvage, le paysan apparaît ainsi, dans les multiples pages qui lui sont consacrées, comme cet être de la mesure, de la prudence et de la modestie dont les besoins limités et la connaissance de la nature pourraient servir de modèle à une société moins prédatrice et à la mesure de l'homme.

L'effacement des paysans, la désagrégation des sociétés rurales et la désertification des campagnes constituent, à coup sûr, l'un des phénomènes majeurs du XXe siècle et il est probable que l'on en mesurera de plus en plus les effets négatifs. On ne pourra toutefois que prendre garde à l'utilisation que fait Waechter de certains termes et dont on peut espérer qu'ils ont été utilisés plus maladroitement que sciemment. Pourquoi donc qualifier des hangars de « cosmopolites » et s'en prendre à « je ne sais quel représentant de capitaux accumulés par la France urbaine » ? Que signifie le projet de produire « une autre référence culturelle que l'universelle, anonyme et déterritorialisée » ? Qu'est-ce que des « matériaux industriels [...] anonymes et apatrides », des « monstres mécaniques étrangers aux lieux », « venant de nulle part » ? Lorsque tous ces termes s'insèrent dans un hymne néo-ruraliste que ne démentirait aucun néo-pétainiste, il y a plus que lieu de s'interroger. Même s'il ne fait aucun doute que Waechter, contrairement aux procès que certains lui font, ne saurait être suspecté d'une quelconque complicité avec le lepénisme.

La question des besoins et celle du ruralisme bucolique, inscrites dans un discours qui milite en faveur de l'exigence de sobriété, l'enracinement et l'harmonie retrouvée contre l'avilissement et la laideur produits par le capital anonyme et la puissance urbaine, sont, selon nous, au cœur de l'équivoque écologique. Le problème se pose néanmoins d'essayer de comprendre ce qui, au-delà de ce que certains appellent le « poujadisme vert », constitue le fondement du « ni droite ni gauche ». Ce sera l'objet de la seconde partie de cet ouvrage.

5

Du monde du besoin au besoin du monde

Dans le récit qu'il fit de son voyage autour du monde à bord de la frégate du roi *La Boudeuse* et de la flûte *L'Étoile*[1], Louis Antoine de Bougainville raconte qu'à son arrivée à Tahiti, au mois d'avril 1768, un indigène, vieillard d'apparence centenaire, refusa de se joindre à la foule enthousiaste des Tahitiens venue accueillir les navigateurs étrangers. Seul parmi les siens, indifférent à l'espèce d'extase dans laquelle la vue des Européens avait soudainement plongé son peuple, il ne fit montre d'aucune frayeur, d'aucun étonnement, pas même de curiosité. Il se retira simplement dans sa case, y demeura confiné durant tout le séjour de Bougainville et de son équipage, et n'en sortit, visiblement soulagé, qu'au jour de leur départ.

1. Cf. Louis Antoine DE BOUGAINVILLE, *Voyage autour du monde*, Saillant et Nyon, Paris, 1771.

Dans la France du XVIIIe siècle, où l'esprit des Lumières se forgeait au contact de la littérature exotique et de la légende du bon sauvage[2], l'épisode ne passa pas inaperçu. Trente ans plus tard, dans son supplément au voyage de Bougainville, Denis Diderot reprit le récit là où l'explorateur l'avait laissé et imagina les adieux du vieux Tahitien au capitaine de *La Boudeuse* :

« Tu es venu [...] Nous avons respecté notre image en toi. Laisse-nous nos mœurs ; elles sont plus sages et plus honnêtes que les tiennes ; nous ne voulons point troquer ce que tu appelles notre ignorance, contre tes inutiles lumières. Tout ce qui nous est nécessaire et bon, nous le possédons. Sommes-nous dignes de mépris, parce que nous n'avons pas su nous faire des besoins superflus ? Lorsque nous avons froid, nous avons de quoi nous vêtir. Tu es entré dans nos cabanes, qu'y manque-t-il, à ton avis ? Poursuis jusqu'où tu voudras ce que tu appelles commodités de la vie ; mais permets à des êtres sensés de s'arrêter, lorsqu'ils n'auraient à obtenir, de la continuité de leurs pénibles efforts, que des biens imaginaires. Si tu nous persuades de franchir l'étroite limite du besoin, quand finirons-nous de travailler ? Quand jouirons-nous ? Nous avons rendu la somme de

2. Sur les influences réciproques entre pensée universaliste et individualiste et pensée relativiste et communautaire au XVIIIe siècle, on lira l'ouvrage aussi remarquable que méconnu, de Charles RIHS, *Les Philosophes utopistes. Le mythe de la cité communautaire en France au XVIIIe siècle*, Éd. Marcel Rivière et Cie, Paris, 1970.

nos fatigues annuelles et journalières la moindre qu'il était possible, parce que rien ne nous paraît préférable au repos. Va dans ta contrée t'agiter, te tourmenter tant que tu voudras ; laisse-nous reposer : ne nous entête ni de tes besoins factices, ni de tes vertus chimériques. Regarde ces hommes ; vois comme ils sont droits, sains et robustes. Regarde ces femmes ; vois comme elles sont droites, saines, fraîches et belles. Prends cet arc, c'est le mien ; appelle à ton aide un, deux, trois, quatre de tes camarades, et tâchez de le tendre. Je le tends moi seul. Je laboure la terre ; je grimpe la montagne ; je perce la forêt ; je parcours une lieue de la plaine en moins d'une heure. Tes jeunes compagnons ont eu peine à me suivre ; et j'ai quatre-vingt-dix ans passés [3]. »

La leçon des sauvages

L'état actuel de la conscience écologique nous fait lentement et sûrement oublier que la question du besoin que posait le Tahitien de Diderot à la civilisation des Lumières a, au cours des deux derniers siècles, gagné encore en pertinence et mériterait de constituer, avec l'interrogation politique, l'un des fondements de la pensée écologique dans les pays développés. Avons-nous vraiment besoin

3. Denis DIDEROT, *Supplément au voyage de Bougainville ou Dialogue entre A et B*, in *Œuvres philosophiques*, Éd. Garnier, Paris, 1964, p. 468-469.

de tous nos besoins ? Ne nous sommes-nous pas inventé des besoins factices, artificiels, qui sonnent comme autant de privilèges dont nous nous sentons tout à la fois fiers, inquiets, coupables et prisonniers ? De quels prix payons-nous et faisons-nous payer aux autres la satisfaction de ce que nous appelons nos besoins, que nous les qualifiions d'essentiels ou de superflus ? N'avons-nous pas, comme le dit si bien le vieux Tahitien, « franchi l'étroite limite du besoin » au-delà de laquelle grandissent les périls, pour la nature, les autres et nous-mêmes ? Au cœur de la logique de l'Occident et à la racine du problème écologique lui-même, ces questions ne sont aujourd'hui posées que par une fraction de la nébuleuse écologiste et se trouvent ainsi généralement reléguées au second plan de la conscience écologique actuelle. A l'interrogation sur le besoin, celle-ci préfère trop souvent la « gestion de l'environnement », la « prévention des risques technologiques majeurs » ou la « protection de la nature ». « Celle-ci préfère » n'est d'ailleurs pas l'expression adéquate. Elle s'y voit, en quelque sorte, contrainte, tant il est vrai que renoncer à poser la question du besoin, c'est immanquablement continuer l'entreprise d'instrumentalisation de la nature et donc tenir pour toujours plus nécessaire et urgente sa protection, son aménagement, sa recréation folklorique et artificielle. C'est, en un mot, accepter sa mort et programmer sa résurrection.

Nous avons changé d'époque. Et avec elle de

conscience écologique. En effet, il fut un temps, pas si lointain, celui des années soixante et soixante-dix, où la critique de la civilisation industrielle et l'interrogation sur le besoin formaient, ensemble, l'une des dimensions majeures de la pensée écologique.

Pour en prendre la mesure, il faut, paradoxalement, revenir aux sociétés primitives et se pencher, ne serait-ce que brièvement, sur un certain nombre de travaux d'anthropologues qui connurent, en ces années soixante-huitardes, un important retentissement dans le monde intellectuel : « La première société d'abondance » de Marshall Sahlins et *La Société contre l'État* de Pierre Clastres, pour ne citer ici que les plus connus[4]. Héritiers spirituels de Marcel Mauss et de son remarquable *Essai sur le don*, ces anthropologues vinrent alors bousculer ce qui était — et demeure — sans doute l'une des croyances les plus solidement établies de l'Occident moderne : la misère des sauvages. Contredisant le sens commun et les préjugés ethnocentristes et évolutionnistes qui conduisaient à présenter les sociétés primitives comme des sociétés de pénurie, où les hommes, du fait de leur sous-équipement technique, s'épuisaient dans une

4. L'article « La première société d'abondance » est paru en octobre 1968 dans *Les Temps modernes*. L'ouvrage dont il était tiré a été traduit en France sous le titre : *Age de pierre, âge d'abondance*, Gallimard, Paris, 1976. Pierre CLASTRES : *La Société contre l'État*, Éd. de Minuit, Paris, 1974. Il faudrait aussi citer les travaux de Jacques Lizot, Georges Condominas, etc.

lutte continuelle pour la subsistance, ils mirent en évidence, enquêtes ethnographiques à l'appui, que certaines sociétés primitives étaient en fait souvent fort « riches » — quoique d'une absolue pauvreté aux yeux des modernes —, disposaient de techniques adaptées à leur milieu et à leurs besoins et où, tout en travaillant peu, l'on vivait bien. « Les Indiens, écrivait Pierre Clastres, ne consacraient effectivement que peu de temps à ce que l'on appelle le travail. Et ils ne mouraient pas de faim néanmoins. Les chroniques de l'époque sont unanimes à décrire la belle apparence des adultes, la bonne santé des nombreux enfants, l'abondance et la variété des ressources alimentaires. Par conséquent, l'économie de subsistance qui était celle des tribus indiennes n'impliquait nullement la recherche angoissée, à temps complet, de la nourriture. » En ce qui concerne les Tupi-Guarani par exemple, on aboutit, poursuivait-il, à « une conclusion joyeuse : les hommes, c'est-à-dire la moitié de la population, travaillaient environ deux mois tous les quatre ans ! Quant au reste du temps, ils le vouaient à des occupations éprouvées non comme peine mais comme plaisir : chasse, pêche, fêtes et beuveries ; à satisfaire enfin leur goût passionné pour la guerre [5] ».

Si ces enseignements constituaient déjà, en soi,

5. Pierre CLASTRES, *La société...*, *op. cit.*, p. 165. Pour des conclusions du même ordre émanant d'autres ethnologues, cf. notamment l'article synthétique d'Alain CAILLÉ : « La rareté et la rationalité économiques », in *Bulletin du MAUSS*, n° 12, déc. 1984. p. 9 *sq*.

une révolution, ils n'épuisaient pas, loin de là, tout l'intérêt du travail de ces anthropologues. L'essentiel de leur apport résidait, en effet, dans l'explication qu'ils avançaient de cette « abondance » chez les sauvages. Celle-ci, disaient-ils en substance, n'est pas le moins du monde le fruit du hasard. Elle est le produit d'une logique sociale, d'une série de choix conscients et volontaires : le maintien d'une symbiose avec le milieu qu'accompagne un certain nombre de pratiques écologiques, démographiques, techniques et culturelles ; l'utilisation du « progrès » technique non pour produire plus mais pour travailler moins ; et enfin l'autolimitation des besoins, c'est-à-dire le refus du surplus, de l'accumulation par lesquels s'introduisent, au sein même du groupe, la division, le pouvoir et l'aliénation de la liberté dans l'avènement de l'État. Bref, des travaux de Marshall Sahlins et de Pierre Clastres, ressortait une « épouvantable » conclusion. Si les sociétés sauvages n'avaient jamais été un paradis, les modernes, en revanche, s'étaient toujours trompés sur la nature et le fonctionnement de celles-ci, et cet aveuglement était responsable, au moins partiellement, des « maux de la civilisation ». Non seulement certains sauvages n'avaient pas connu la misère, mais ils avaient su faire preuve d'une rationalité qui, aussi bien sur un plan écologique qu'humain, apparaissait supérieure à celle des modernes. En fondant le besoin, la « richesse » ou la « pauvreté », non sur l'accumulation des biens mais sur la relation entre les hommes, et sur le rapport équilibré de ceux-ci avec la nature, les primitifs avaient vécu, libres, « la première société d'abondance ».

« Il faut réensauvager la vie », proclamait Serge Moscovici dans les années soixante et soixante-dix. On peut entendre dans ce mot d'ordre l'écho d'une sensibilité écologique, somme toute classique et un peu naïve, protestant contre l'ennui et l'uniformité de la vie moderne. A l'évidence, bien des écologistes et des révoltés d'alors comprirent le message de cette manière et contribuèrent à donner à la contestation écologique et politique de l'époque son apparence spontanéiste et nostalgique : le retour volontariste à l'âge d'or, au paradis perdu. Mais ce ne fut là, croyons-nous, qu'une partie, la plus visible et aussi la plus médiatisée, du phénomène. En réalité, il ne s'agissait pas tant de copier les sociétés sauvages que d'en tirer les enseignements essentiels. Et on peut, avec le recul du temps, interpréter en ce sens les propos de Serge Moscovici. En quelque sorte, à la lettre : « Si nous ne suivons pas, un tant soit peu, la leçon des sauvages, nous ne vivrons pas, ou mal. » Cela signifie que pour l'écologie qui, de près ou de loin, se reconnut dans l'esprit de 68 et se voulut politique, la découverte ou la redécouverte des sociétés sauvages ne représenta pas seulement une heureuse coïncidence qui permettait d'administrer la preuve que l'utopie écologique, à défaut d'être, avait existé. Elle eut cette signification, notamment dans le mouvement communautaire, néorural, dont elle légitima les aspirations et les expériences. Mais la leçon des sauvages exerça également une influence plus profonde, plus stratégique. Parce qu'elle permit, nous allons y revenir, de nouer autour de la question du besoin et de sa redéfinition les critiques de la civilisation industrielle et les principes de la société écologique à venir, elle fut une condition même de l'avènement de la conscience écologique, le creuset où se formèrent les idées et les pratiques de ce que l'on prit alors coutume d'appeler l'écologie politique ou radicale.

La nouvelle image des sociétés sauvages vint d'abord conforter l'idée que la destruction des cultures traditionnelles, concomitante au processus d'occidentalisation du monde, ne s'était pas déroulée par le recours exclusif à la force mais, de manière peut-être plus pernicieuse et efficace, par l'inoculation du besoin moderne chez les autres. Cette idée, aujourd'hui presque un lieu commun, et qui n'était pas alors véritablement originale mais restait cantonnée à des cercles intellectuels restreints, eut en se généralisant un impact considérable sur le mouvement écologique et, au-delà, sur la génération de 1968. Elle déborda, de loin, la question des sociétés primitives proprement dites et contribua à ce qu'entrent en résonance, à ce que se fondent au sein de l'écologie politique, des thèmes épars, relativement étanches, de l'esprit contestataire de l'époque : la protestation contre l'ethnocide bien sûr, mais également la critique de l'économisme commun à l'Occident libéral et marxiste, la remise en question du « développement », la revendication régionaliste et paysanne ou bien encore la dénonciation du « contrôle social » ou l'interrogation sur le rôle de la science et de la technique dans la production des besoins. Schématiquement résumé, le raisonnement qui permettait de souder cet ensemble hétérogène était le suivant : « Si l'Occident, pour imposer sa logique, procède non seulement par la force militaire, bête et brutale, mais aussi par l'instillation d'un modèle de désirs et de besoins nouveaux, alors, nous sommes tous virtuellement des sauvages[6]. » Ainsi, en même temps que la

6. Un exemple, parmi d'autres, des jonctions qui s'opérèrent alors autour de cette idée : « Une des premières actions écologiques que j'aie (Serge Moscovici) personnellement menées fut une exposition itinérante sur l'ethnocide et la destruction des civilisations. Jaulin, Grothendieck et moi-même, nous sommes allés de village en village, nous avons parlé avec les habitants, et c'était extraordinaire de voir combien les gens étaient en avance sur les media, les responsables politiques et les intellectuels. Ils comprenaient qu'on devait combattre pour la vie d'un groupe humain comme les Indiens. N'étaient-ils pas, eux aussi, déjà un peu condamnés à disparaître de la même façon, et pour les mêmes raisons ? Je me souviens de ce maire de l'Aude qui nous disait qu'on ne peut pas se battre contre la disparition de l'aigle royal et laisser s'éteindre une race ou une communauté humaine », cité *in* Jean-Paul RIBES, *op. cit.*, p. 143. Profitons-en pour saluer ici l'une des actions récentes du mathématicien Alexandre Grothendieck. En 1988, celui-ci a refusé le prix Crafoord, d'une valeur de 1,54 million de francs, que l'Académie royale de Suède avait décidé de lui décerner, à lui et à son ancien élève Pierre Deligne. Dans la lettre d'explication, qu'il a envoyée à l'Académie (cf. *Le Monde* du 4 mai 1988), il s'élève contre la disparition de toute préoccupation éthique dans les milieux scientifiques, et notamment chez les mathématiciens ; rappelle que les gratifications matérielles et symboliques dont bénéficient les chercheurs de haut niveau se font aux dépens du nécessaire des autres ; et souligne enfin que son salaire de professeur est beaucoup plus que suffisant pour ses besoins matériels et ceux de sa famille.

destruction des sociétés traditionnelles perdait son image de problème lointain, « exotique », et devenait une question mondiale, une question que l'Occident se posait à lui-même, l'écologie acquérait un statut qu'elle n'a depuis lors jamais désavoué : être une critique politique de la culture.

La deuxième leçon des sauvages fut plus directement opératoire encore. Elle consista en un complet renversement de perspective sur la nature de la société de consommation. Celle-ci, contrairement à toutes les apparences, n'était pas une société d'abondance. En abandonnant la règle primitive selon laquelle les besoins, la « richesse » ou la « pauvreté » se fondent sur la relation humaine et se manifestent dans le partage concret et symbolique des biens et en lui substituant le principe moderne de l'insatiabilité des désirs individuels et l'idéal de l'accumulation des marchandises, les sociétés industrielles s'étaient condamnées à une lutte, proprement infinie, contre le manque : « Il faut, écrivait Jean Baudrillard en 1970, abandonner l'idée reçue que nous avons d'une société d'abondance comme d'une société dans laquelle tous les besoins matériels (et culturels) sont aisément satisfaits, car cette idée fait abstraction de toute logique sociale. Et il faut rejoindre l'idée, reprise par Marshall Sahlins, selon laquelle ce sont nos sociétés industrielles et productivistes, au contraire de certaines sociétés primitives, qui sont dominées par la rareté, par l'obsession de rareté caractéristique de l'économie de marché. Plus on produit, plus on souligne, au sein même de la profusion, l'éloignement irrémédiable du terme final que serait l'abondance — définie comme l'équilibre de la production humaine et des finalités humaines. Puisque ce qui est satisfait dans une société de croissance, et de plus en plus satisfait au fur et à mesure que croît la productivité, ce sont les besoins mêmes de l'ordre de production, et non les "besoins" de l'homme, sur la méconnaissance desquels repose au contraire tout le système, il est clair que l'abondance recule indéfiniment : mieux — elle est irrémédiablement niée au profit du règne organisé de la rareté [...]. Il n'est donc pas paradoxal de soutenir que dans nos sociétés "affluentes", l'abondance est perdue, et qu'elle ne sera pas restituée par un surcroît de productivité à perte de vue, par la libération de nouvelles forces productives. [...] C'est la logique sociale qui a fait connaître aux primitifs la "première" (et la seule) société d'abondance. C'est notre logique sociale qui nous condamne à une pénurie luxueuse et spectaculaire[7]. »

Du principe moderne de l'insatiabilité des besoins individuels découlait une autre conséquence, tout aussi capitale : le prix du besoin. Les chantres des « Trente glorieuses » et de la société de consommation pouvaient bien l'ignorer, la note n'en restait pas moins lourde à payer. Si la notion

---

7. Jean BAUDRILLARD, *La Société de consommation*, coll. « Idées », Gallimard, Paris, 1974, p. 90 et 92.

de « prix du besoin » devint, dans les années soixante et soixante-dix, un élément central de l'écologie politique, c'est autant parce que les effets néfastes de la croissance commençaient à se faire nettement sentir que parce que, autour de cette notion, put se rejoindre et se cristalliser l'ensemble des critiques adressées à la civilisation industrielle. En effet, à un besoin défini comme illimité correspond logiquement, rappelaient alors les écologistes radicaux, un prix lui-même illimité. Celui-ci était bien sûr écologique, mais en même temps esthétique et culturel. « Nous allons, écrivait alors Bertrand de Jouvenel, vers la mort des paysages qui sont à mes yeux éléments essentiels de la culture. Je comprends que l'on ait pris d'immenses précautions pour protéger la *Joconde* de toute atteinte afin que les générations à venir puissent l'admirer dans un musée. Mais n'est-il pas plus important encore que les générations à venir puissent jouir, non pas tel jour de visite, mais dans leur vie quotidienne, de la beauté des paysages à laquelle chaque génération aura ajouté [8]. » Le prix était aussi humain, quotidien, et se manifestait par la mise au travail généralisée, l'hypertrophie urbaine, la fatigue moderne ou le manque de temps que se chargeait d'exorciser, en lieu et place d'une authentique spiritualité, la consommation frénétique et illusoire des objets :

---

8. Bertrand DE JOUVENEL, *La Civilisation de puissance*, Fayard, Paris, 1976.

« En changeant nos besoins, tout le temps, disait alors Serge Moscovici, en proposant de nouveaux objets, en nous avertissant par la publicité qu'il faudra les jeter avant de les avoir pleinement utilisés, on nous prive de la satisfaction qu'ils entraînent, on rend cette satisfaction artificielle parce que instantanée [...]. Nous sommes conditionnés à devenir des consommateurs d'oublis et non pas des consommateurs de souvenirs, étant obligés de nous séparer de nos besoins et de nos objets avant d'en avoir profité. On se protège du regret en se privant du plaisir. C'est pourquoi nous ne sommes pas insatisfaits, mais mal satisfaits ; malgré son abondance relative, notre société est une société frustrée[9]. » Enfin, le prix était économique et politique puisque l'accumulation marchande et consumériste, contrairement à l'abondance des sauvages, non seulement faisait surgir l'inégalité sociale mais en vivait, et conduisait par là même à la centralisation du pouvoir civil et militaire, à l'État-Léviathan et à l'impuissance politique des individus. C'est l'ensemble de ces « prix du besoin », à la fois distincts et inséparables, que devait entendre Ivan Illich lorsqu'il écrivait dans *Une société sans école* : « L'*éthos* de l'insatiabilité se retrouve à la base du saccage du milieu physique, de la polarisation sociale et de la passivité psychologique[10]. »

---

9. Jean-Paul RIBES, *Pourquoi les écologistes...*, *op. cit.*, p. 67.
10. Ivan ILLICH, *Une société sans école*, Le Seuil, Paris, 1971, p. 185.

La voie semblait donc toute tracée. Et il est vrai qu'à relire, vingt ans plus tard, les textes fondateurs de l'écologie politique et radicale, ceux d'Ivan Illich, Ernst Schumacher, Murray Bookchin, André Gorz, Serge Moscovici, Cornélius Castoriadis ou René Dumont, on est frappé par la similitude des solutions qu'ils préconisaient. Il n'existait pas, pour eux, de demi-mesure possible. Il fallait changer d'*éthos*, c'est-à-dire au sens étymologique du terme, de mœurs, et abandonner le principe moderne de l'insatiabilité des besoins individuels. Il était devenu vital, pour l'homme, la société et la nature, de redéfinir les besoins et de soumettre ceux-ci à un nouveau principe, celui d'austérité volontaire.

Contrairement à ce que l'on pourrait imaginer de prime abord, l'austérité volontaire ne constituait pas, pour les écologistes radicaux, l'inverse pur et simple de l'insatiabilité. Certes, il s'agissait bien de se désaccoutumer de la croissance et de réduire la consommation, de mettre un terme au gaspillage et de fonder une économie du durable, en bref de s'affranchir de l'idée que produire et consommer plus c'est vivre mieux, pour commencer à réapprendre qu'il était possible, en produisant et en consommant moins et mieux, de vivre plus. Mais ce réapprentissage, mieux vaudrait même dire cette conversion, était indissociable, dans l'esprit des écologistes radicaux, de la reconquête par les individus de la capacité à définir et à satisfaire eux-mêmes leurs besoins. Les hommes devaient se libérer de l'emprise économique et culturelle de l'État et du marché, se défaire du besoin fabriqué, contrôlé et « satisfait » par les appareils bureaucratiques ou les sociétés de service, pour tenter de se réapproprier, individuellement et collectivement, leurs besoins. Ils devaient, au sein de structures conviviales, en mettant en œuvre des techniques à échelle humaine et en produisant des valeurs d'usage, retrouver la faculté de décider, ensemble et de manière autonome, quels étaient l'étendue, les limites, les modes de satisfaction et le sens de leurs besoins, et recouvrer en même temps les moyens politiques de préserver leurs choix. Ce n'est qu'à ce prix que l'austérité volontaire pourrait devenir le fondement d'une nouvelle logique sociale où, à travers la définition et la satisfaction du besoin lui-même, s'exprimeraient les fins supérieures que les hommes assignent à la société : l'égalité dans le partage des richesses, la liberté politique, la non-violence et la paix, la coopération avec la nature, l'accès à une authentique spiritualité, etc. En d'autres termes, la notion d'austérité volontaire était autant l'écho du principe d'autolimitation des besoins dans les sociétés primitives que la formulation de ce même principe en termes modernes, contemporains. Faire le choix de l'austérité volontaire, c'était engager un double processus, de rupture avec la civilisation industrielle et de construction de la société écologique future. C'était, comme le résumait alors Ivan Illich, édifier une « société de subsistance moderne [11] ».

Les raisons d'un échec

Vingt ans ont passé. Et force est de constater que dans sa tentative de « réensauvager la vie », l'écologie politique et radicale a échoué. Certes, l'échec n'est pas total. L'héritage demeure et la redéfinition des besoins représente toujours, pour certains écologistes, la condition *sine qua non* d'un véritable changement de civilisation. De même, on minimise généralement le nombre et l'impact des expériences dites alternatives qui, au nom de l'autolimitation des besoins et de l'autonomie économique et politique, sont parvenues à créer, à l'écart du monde ou au cœur même des grandes cités, des îlots de vie écologique à la mode des années soixante et soixante-dix. Des initiatives de ce type, fragiles mais exemplaires, existent aux États-Unis, au Canada ou dans les pays scandinaves, dans le cadre du *Netzwerk* ouest-allemand ou au sein du réseau français ALDEA [12]. Mais indéniablement, les résultats sont minces et, surtout,

11. Ivan ILLICH, *Le Chômage créateur. Postface à la convivialité*, Le Seuil, Paris, 1977, p. 87.

12. Cf. *A faire*, bulletin multi-associatif de l'agence de liaison pour le développement d'une économie alternative. On consultera également des mensuels tels que *Silence, Les Réalités de l'écologie* et pour de plus amples renseignements, le livre de Dominique ALLAN-MICHAUD, *L'Avenir d'une société alternative, op. cit.*

l'objectif principal n'a pas été atteint. La société de subsistance moderne est restée une utopie sans lendemain et l'austérité volontaire un principe marginal sans influence réelle sur l'état des consciences et le cours des choses. Les mœurs n'ont pas changé et les sociétés occidentales, passées dit-on de l'ère de la consommation à celle de la communication, demeurent plus que jamais régies par l'*éthos* de l'insatiabilité, plus que jamais résolues, semble-t-il, à en payer et à en faire payer le prix. Un prix dont les vingt dernières années ont pourtant encore repoussé les limites...

Quelles sont les raisons de cet échec ? Pourquoi, malgré son insistance sur le caractère novateur et moderne de son projet, l'écologie politique et radicale n'a-t-elle pas réussi à se faire entendre ? Pourquoi n'est-elle pas parvenue à transformer les mentalités et à engager l'Occident sur la voie de l'autolimitation des besoins ? Quelles leçons peut-on en tirer pour l'avenir ?

A première vue, l'échec tient à la manière dont, dans leur grande majorité, les Occidentaux perçoivent spontanément le principe de l'austérité volontaire. Celui-ci leur paraît *a priori* suspect, pernicieux, potentiellement totalitaire. Il évoque, non pas le choix libre et raisonné d'un mode de vie plus économe et autonome, mais la pénurie contrainte, le rationnement autoritaire, comme si la diminution des choses possédées s'accompagnait inévitablement de la privation des libertés individuelles. L'identification de la démocratie au développement économique, la mémoire de l'occupation allemande, l'exemple des régimes communistes sont, à l'évidence, pour beaucoup dans cette perception et, de ce point de vue, on pourrait presque dire que les écologistes radicaux sont arrivés trop tôt, une génération seulement après la Seconde Guerre mondiale et une également avant l'effondrement des systèmes totalitaires en Europe de l'Est. Cela signifie-t-il qu'il pourrait en être autrement aujourd'hui, et *a fortiori* demain ? Rien n'est moins sûr. D'une part, le souvenir des pénuries de la dernière guerre restera longtemps encore gravé dans la mémoire collective et contribuera, pendant au moins plusieurs décennies, à légitimer le modèle actuel de consommation. D'autre part, la fin du communisme en Europe de l'Est s'opère à l'heure actuelle autant au nom de la conquête des libertés démocratiques que de l'accès aux biens de consommation et, malgré le rôle politique croissant joué par le mouvement écologique dans ces pays, l'on voit mal, au moins dans un futur proche, l'austérité volontaire trouver à l'Est les conditions d'une nouvelle jeunesse. Par ailleurs, au fur et à mesure que grandit le fossé entre le Nord et le Sud et que s'aggravent les inégalités au sein même des pays développés, l'austérité volontaire apparaît comme un idéal de moins en moins crédible, à la limite même scandaleux. Comment, en effet, oser prôner une réduction de la consommation alors même que la faim progresse dans les pays du tiers monde et que le chômage touche désormais plusieurs dizaines de millions d'Européens ? La solution « naturelle » n'est-elle pas de continuer à accroître la production et de répartir celle-ci de manière plus équitable ? Dans les années soixante-dix, l'écologie politique s'était déjà heurtée à cette apparente immoralité de l'austérité volontaire. Il est clair que les méfaits du libéralisme durant les années quatre-vingt n'ont fait qu'aggraver le problème. Enfin, et ce n'est pas là le moindre des obstacles auquel les écologistes radicaux n'ont d'ailleurs peut-être pas suffisamment prêté attention, l'austérité volontaire, dès lors que l'on passe du principe à sa réalisation, ne se conçoit pas aisément. Consommer moins et mieux, repenser les besoins dans un cadre micro-social, rompre avec la civilisation industrielle et créer une société de subsistance moderne, certes, mais comment ? A quels objets, à quels besoins, à quelles habitudes faut-il renoncer ? Quel sens et quel contenu donner, à l'ère des mégalopoles, au slogan *Small is beautiful* ? Existe-t-il, en un mot, des solutions concrètes qui assurent la sortie progressive d'un système où le gigantisme social et l'insatiabilité individuelle vont de pair, se renforcent mutuellement ?

D'autres raisons, plus profondes et souterraines, permettent d'expliquer l'échec de l'écologie politique et radicale. Celles-ci ont trait à la nature même du besoin moderne, à ses formes dominantes de définition et de satisfaction, et plus largement à la complexité de ce qui se joue dans le phénomène de consommation. Trois points qui, paradoxalement, sont autant d'acquis de la pensée contestataire des années soixante et soixante-dix, méritent ici d'être soulignés : « Nous ne définissons pas librement nos besoins », « Nous consommons des marchandises et des signes », « Nous sommes prisonniers de la satisfaction de nos besoins. »

Nous ne définissons pas librement nos besoins

S'il n'a jamais existé et n'existera jamais de définition « libre » des besoins, si les besoins, même biologiques, se sont toujours inscrits et s'inscriront toujours à l'intérieur d'un certain nombre de règles relatives à un ou des systèmes culturels déterminés, la société de consommation peut légitimement être considérée comme celle qui, dans l'histoire de l'humanité, a réussi à organiser, sous les apparences de la plus complète liberté, le contrôle social le plus étroit et le plus efficace qui soit des besoins, tant sur un plan individuel que collectif. Même si l'apothéose consumériste — nous y reviendrons plus loin — se trouve probablement encore devant nous, la consommation n'a d'ores et déjà plus rien à voir avec un libre choix et constitue depuis plusieurs décennies un véritable devoir civique, inséparable et complémentaire de l'acceptation de l'ordre social et politique. « Les deux dimensions de l'institution de la société déclarait en 1980 Cornélius Castoriadis, sont l'instillation aux individus d'un schème d'autorité et d'un schème de besoins [13]. » « Ignorer ses besoins ou ne pas les assumer », écrivait quelques années plus tôt Ivan Illich, est devenu « l'acte antisocial impardonnable [14] ». Et il ajoutait que la civilisation industrielle, dans son modèle le plus avancé, nord-américain, était entrée depuis le milieu du XXe siècle dans l'âge du professionnalisme, dans l'ère du totalitarisme des spécialistes. De la naissance à la mort des individus, à l'école, au travail ou à l'hôpital, dans le moindre détail de la vie publique ou privée, les professionnels avaient désormais acquis le privilège de prescrire ce qui est juste pour les autres et ce dont ils ont, par là même, besoin. Résumant les thèses de l'auteur de *La Convivialité*, Michel Bosquet *alias* André Gorz écrivait dans *Écologie et politique* : « Défini dans ses besoins par un ensemble d'institutions, de professions, de prescriptions et de droits, le citoyen est sollicité à se conduire en consommateur, usager et ayant-droit d'un ensemble de prestations, d'équipements et de prises en charge. Il ne consomme plus les biens et services dont il éprouve le besoin autonome mais ceux qui correspondent aux besoins hétéronomes que lui

---

13. Cornélius CASTORIADIS, Daniel COHN-BENDIT et le public de Louvain-la-Neuve, *De l'écologie à l'autonomie*, Le Seuil, Paris, 1981, p. 36.
14. Ivan ILLICH, *Le Chômage créateur*, *op. cit.*, p. 53.

découvrent les experts professionnels d'institutions spécialisées [15]. » Plus sévère encore, Ivan Illich donnait de l'âge du professionnalisme la description suivante : « On se souviendra, disait-il, de l'âge des professions comme de ce temps où la politique s'est étiolée, tandis que, sous la houlette des professeurs, les électeurs donnaient à des technocrates le pouvoir de légiférer à propos de leurs besoins, l'autorité de décider qui a besoin de quoi, et le monopole des moyens par lesquels ces besoins seraient satisfaits. On s'en souviendra aussi comme de l'âge de la scolarité, âge où les gens, pendant un tiers de leur vie, étaient formés à accumuler des besoins sur ordonnance et, pour les deux autres tiers, constituaient la clientèle de prestigieux trafiquants de drogue qui entretenaient leur intoxication. On s'en souviendra comme de l'âge où le voyage d'agrément signifiait un déplacement moutonnier pour aller lorgner des étrangers, où l'intimité nécessitait de s'exercer à l'orgasme sous la direction de Masters et Johnson, où avoir une opinion consistait à répéter la dernière causerie télévisée, où voter était approuver un vendeur et lui demander de "remettre ça" [16]. »

Incontestablement, la critique illichienne de la civilisation industrielle fut excessive, et c'est sans doute cet excès même qui explique, au moins en

15. André GORZ/Michel BOSQUET, *Écologie et politique*, op. cit., p. 39.
16. Ivan ILLICH, *Le Chômage créateur*, *op. cit.*, p. 39.

partie, son succès spectaculaire à l'époque du gauchisme et son effacement soudain à l'aube des années quatre-vingt quand, sous l'effet d'une infinité de facteurs, l'esprit du temps rejoignit insensiblement le sens de la mesure. Plus personne n'oserait à présent soutenir que « les élections sont un piège à cons » et contester le fait que le suffrage universel est moins le symptôme du triomphe du marché que l'un des principes fondamentaux, aussi insuffisant soit-il, de la démocratie. De même, l'école, la médecine, le tourisme ou les transports ne sauraient être seulement considérés comme des instruments d'intoxication, destinés à entretenir dans l'opinion publique le mythe de la consommation illimitée. Toutefois, il semble bien que l'on ait oublié un peu vite le message d'Ivan Illich et, « jetant le bébé avec l'eau du bain », abandonné les deux enseignements majeurs de sa critique de système industriel : la puissance des institutions du contrôle social et l'hétéronomie croissante des besoins. Nous ne sommes pas sortis, loin s'en faut, de l'ère des spécialistes et la formation hétéronome des besoins, en se faisant moins autoritaire, plus *soft*, s'est encore affinée et renforcée. Depuis vingt ans, l'idée que le besoin est un « problème » qui réclame un « traitement » a encore progressé, au rythme des inventaires qualitatifs et quantitatifs des besoins qu'établissent quotidiennement les institutions officielles ou non officielles, les experts en communication ou les sociétés de conseil. La publicité, les jeux télévisés, les médias ont aussi étendu et affermi leur pouvoir dans la production des besoins et il est chaque jour un peu plus vrai qu'ils participent de manière extraordinairement efficace à l'accoutumance douce à la consommation, au processus général d'identification du besoin à la marchandise.

Nous consommons des marchandises et des signes

Durant les années soixante et soixante-dix, Ivan Illich se faisait un devoir de souligner dans presque chacun de ses livres le caractère radicalement nouveau qu'avaient acquis les besoins dans les sociétés contemporaines. Pour la première fois dans l'histoire, disait-il, que ce soit dans les sociétés développées ou en voie de développement, la perception des besoins s'est muée en une demande de produits manufacturés et les besoins, comme les désirs, coïncident désormais presque exclusivement avec les marchandises. A la même époque, dans trois brillants essais, *Le Système des objets*, *La Société de consommation* et *Pour une critique de l'économie politique du signe*[17], Jean Baudrillard démontrait que les marchandises, pour se présenter au

17. Jean BAUDRILLARD, *Le Système des objets*, Denoël-Gonthier, Paris, 1968 ; *La Société de consommation*, *op. cit.* ; *Pour une critique de l'économie politique du signe*, Gallimard, Paris, 1972.

consommateur sous les apparences d'une collection hétéroclite d'objets destinés à répondre à tel ou tel de ses besoins, n'en formaient pas moins, ensemble, un système cohérent de signes culturels, un langage social structurant la relation de l'homme non seulement aux objets mais à la collectivité, au monde et à lui-même. Nous achetons, nous consommons des objets/signes, expliquait-il, autant dans l'espérance, illusoire et indéfiniment répétée, de satisfaire nos besoins que pour participer à la nouvelle mythologie des Temps modernes, au grand rituel collectif de la Consommation.

Cette identification du besoin à la marchandise et de l'ensemble des marchandises à un système de signes culturels constitue sans aucun doute la principale explication de l'étonnante vitalité dont fait preuve la société de consommation. En effet, à travers la consommation d'objets/signes, tend à s'effacer au moins imaginairement la distinction courante, encore chère à bien des écologistes, entre les besoins dits « réels » et les besoins considérés comme « factices ». Où placer la frontière entre le besoin « authentique », réellement éprouvé, et le besoin « aliéné », artificiellement créé, dès lors que la marchandise est autant un objet dont on use qu'un signe que l'on arbore ? Une fois acquise la notion de minimum vital, elle-même sujette à interprétations différentes selon le temps ou le lieu, qui peut décider, sans verser immédiatement dans un mode autoritaire de définition des besoins, que tel objet relève du « nécessaire » et tel autre du

« superflu » ? Depuis plus de vingt ans, le projet de l'écologie politique et radicale de revenir aux besoins « réels » semble se heurter à un mur, et la difficulté, voire l'impossibilité, qu'il y a à tracer cette frontière tient au fait que c'est la personnalité même de l'homme contemporain qui s'affirme au travers de la consommation des objets. Toujours en demande d'un signe supplémentaire d'appartenance ou de distinction sociale, le travailleur-consommateur engendre, par ses désirs même, l'extension illimitée du phénomène de consommation. « Ce qui compte, écrivait ainsi Jean-Pierre Dupuy, c'est moins ce que l'on a que ce que l'on a par rapport à ce qu'il serait mieux d'avoir. Or ce qu'il serait mieux d'avoir croît avec ce que l'on a et avec ce que les autres ont [18]. » Que cette logique de l'insatiabilité ait pour corollaires la frustration individuelle, l'inégalité sociale, le gaspillage des biens et des ressources matérielles et, par réaction, la contestation même de la consommation, ne saurait être interprété comme la manifestation des « insuffisances » ou des « dysfonctionnements » du modèle consumériste mais, bien au contraire, comme les conditions de son existence et de son expansion. Sans cesse présentes à l'esprit du consommateur, la mythologie du progrès, l'idéologie du bien-être ont pour fonctions essentielles d'exorciser l'insatisfaction ressen-

---

18. Jean-Pierre DUPUY, « Ivan Illich et la Némésis industrielle », *in* n° spécial de la revue *L'Arc* consacré à Ivan Illich, 1975, p. 44.

tie à l'égard des objets, de donner à penser aux « pauvres » qu'ils se moderniseront un jour et qu'ils accéderont sous peu aux marchandises qu'ils n'ont pas pu encore acquérir[19]. De même, ainsi que l'a bien montré Jean Baudrillard, « comme la société du Moyen Âge s'équilibrait sur Dieu et sur le Diable, la nôtre s'équilibre sur la consommation et sur la dénonciation[20] ».

En s'enracinant dans le refus de l'objet, en accablant trop souvent celui-ci d'une valeur diabolique, le discours critique de la consommation se trouve pris au piège de la civilisation de l'objet. Antifable qui vient couronner la fable, il apporte au consommateur ce supposé « supplément d'âme » sans lequel deviendrait vite insoutenable la réification des relations sociales et humaines. Enfin, et c'est peut-être là l'élément majeur, structurant, qui confère à l'ensemble du système sa pleine efficacité, le phénomène moderne de consommation, en raison même de la profusion des marchandises et de la rapidité avec laquelle celles-ci sont consommées, s'apparente à un véritable processus biologique au terme duquel les besoins, même les plus artificiels, les objets, même les plus sophistiqués, apparaissent comme naturels, le simple effet de notre mère nature ou de

---

19. Cf. Ivan ILLICH, *Le Chômage créateur*, *op. cit.*, p. 20 *sq.* ; *Libérer l'avenir*, *op. cit.*, p. 153 *sq.* Cf. également Bernard LASSUDRIE-DUCHÊNE, « La consommation ostentatoire et l'usage des richesses », in *Bulletin du MAUSS*, n° 11, p. 115-133.

20. Jean BAUDRILLARD, *La Société de consommation*, *op. cit.*, p. 316.

notre nature humaine. « Avec le besoin que nous avons de remplacer de plus en plus vite les choses de ce monde qui nous entourent, écrivait Hannah Arendt dans *Condition de l'homme moderne*, nous ne pouvons plus nous permettre de les utiliser, de respecter et de préserver leur inhérente durabilité ; il nous faut consommer, dévorer pour ainsi dire, nos maisons, nos meubles, nos voitures comme s'il s'agissait des "bonnes choses" de la nature qui se gâtent sans profit à moins d'entrer rapidement dans le cycle incessant du métabolisme humain. C'est comme si nous avions renversé les barrières qui protégeaient le monde, l'artifice humain, en le séparant de la nature, du processus biologique qui se poursuit en son sein comme des cycles naturels qui l'environnent, pour leur abandonner, pour leur livrer la stabilité toujours menacée d'un monde humain [21]. »

Nous sommes prisonniers de la satisfaction de nos besoins

La soumission du besoin moderne au contrôle des spécialistes et au règne de la marchandise est inséparable de l'effacement des solidarités, savoirs et savoir-faire qui, jusqu'à une époque récente,

21. Hannah ARENDT, *Condition de l'homme moderne*, Calmann-Lévy, Paris, 1961, p. 142.

permettaient aux hommes, individuellement ou en groupe, de satisfaire eux-mêmes l'essentiel de leurs besoins. Si cet effacement présente encore (mais pour combien de temps ?) un caractère relatif dans les pays du tiers monde, ce n'est d'ores et déjà plus le cas en Occident. Toutes les actions, ordinaires ou exceptionnelles, qui forment la trame de l'existence n'y sont plus accomplies selon les principes de l'autonomie communautaire, au travers de relations réciprocitaires directes, de personne à personne ou de groupe à groupe, mais sur un mode étatico-marchand, par l'intermédiaire d'entreprises et d'institutions devant lesquelles les individus se trouvent placés en position de client et d'administré.

Sont, entre autres, concernés des phénomènes aussi fondamentaux que la naissance, l'alimentation, l'habitat, la culture, les déplacements ou la mort. Ainsi, dans l'immense majorité des cas, on ne naît pas chez soi, au sein du cercle familial, mais dans une clinique ou à l'hôpital, on ne produit pas sa nourriture mais on l'achète, et on ne construit pas sa maison de ses propres mains ou grâce à l'aide des voisins mais on se « loge » en s'adressant à un promoteur immobilier ou à un office public. De même, on ne « s'éduque » qu'à l'école ou dans des centres de formation spécialisés, on ne se déplace que « transporté » et on n'enterre plus ses proches sans l'intervention des pompes funèbres.

Cette institutionnalisation de la satisfaction des

besoins n'est pas seulement synonyme du caractère de plus en plus stéréotypé des comportements et de l'uniformité grandissante de la vie moderne. A partir d'un certain stade, elle conduit en effet à ce qu'Ivan Illich appelait « le monopole radical », c'est-à-dire cet état où un « outil » (la voiture, l'hôpital, l'école, etc.) prend le contrôle exclusif de la satisfaction d'un besoin (celui de circuler, d'être en bonne santé, d'apprendre, etc.) et empêche tout retour à la diversité des pratiques individuelles et collectives. « Il est aussi difficile, écrivait-il, de se défendre contre la généralisation du monopole que contre l'extension de la pollution. Les gens affrontent plus volontiers un danger menaçant leurs intérêts privés que ceux du corps social pris comme un tout. Il y a beaucoup plus d'ennemis avoués des voitures que de la conduite automobile. Les mêmes qui s'opposent aux voitures, en tant qu'elles polluent l'air et le silence et monopolisent la circulation, conduisent une automobile dont ils jugent le pouvoir de pollution négligeable, et n'ont aucunement le sentiment d'aliéner leur liberté lorsqu'ils sont au volant. La défense contre le monopole est encore plus difficile si l'on prend en compte les facteurs suivants. D'une part la société est d'ores et déjà encombrée d'autoroutes, d'écoles et d'hôpitaux ; de l'autre, la capacité innée que l'homme a de poser des actes indépendants est paralysée depuis si longtemps qu'elle semble s'être atrophiée ; enfin les solutions offrant une autre possibilité, pour être simples, semblent devoir être hors de portée de l'imagination. Il est difficile de se débarrasser du monopole lorsqu'il a gelé la forme du monde physique, sclérosé le comportement et mutilé l'imagination. Quand on découvre le monopole radical, il est en général trop tard [22]. »

Une redéfinition écologique et politique des besoins est-elle encore possible ?

Trop tard. Peut-être... Il est vrai que tout ce que nous venons d'évoquer n'incite guère à l'optimisme. L'échec relatif de l'écologie politique et radicale trouve sa raison d'être dans une infinité de phénomènes, les uns très largement inconscients, les autres bien réels, dont le sens général est d'exciter à l'infini l'appétit de consommation, de métamorphoser celui-ci en un « fait de nature » et d'enfermer les individus dans l'univers bloqué, standardisé et anonyme des sociétés industrielles.

On peut même être plus pessimiste encore et penser que la société de consommation se trouve aujourd'hui à l'aube d'une nouvelle période d'expansion. D'une part, elle devrait continuer de se développer selon un schéma désormais classique, par la création et la multiplication de produits manufacturés et par l'élargissement de sa base

22. Ivan ILLICH, *La Convivialité, op. cit.*, p. 85-86.

socio-géographique. De nouveaux marchés et de nouvelles couches sociales sont, dit-on, à conquérir en Europe de l'Est et dans les pays les plus avancés du tiers monde. D'autre part, il est hautement probable que la société de consommation s'annexera bientôt la « satisfaction » de ce qu'on est encore (mais ici également pour combien de temps ?) en droit d'appeler deux « passions humaines » : le besoin de nature et le désir de ne pas vieillir ni mourir. Tout porte à croire en effet que l'air pur, le silence, la verdure, la beauté des paysages d'un côté, le poumon, le rein, le cœur, le visage de l'homme de l'autre, tous ces biens autrefois naturels et inaliénables pourraient devenir, dans un délai relativement bref, parties intégrantes du système des objets. Des biens marchands presque du même ordre qu'une télévision ou un magnétoscope, des signes de distinction sociale plus prisés que le port d'un beau costume ou la possession d'une voiture de grosse cylindrée. On a peine à s'en persuader et, pourtant, les indices d'une telle évolution ne manquent pas. Rares sont les États, ou les comités d'éthique, aussi puissants et reconnus soient-ils, qui ont réussi à interdire le commerce des organes et des embryons et il ne fait aucun doute que les grandes découvertes, en matière de chirurgie esthétique ou de génétique, sont encore à venir et seront immanquablement suivies de leur cortège d'applications mercantiles plus ou moins mal réglementées par l'État. De même, il n'est un secret pour personne que l'accès à la nature s'inscrit d'ores et déjà dans une logique étatico-marchande, de plus en plus inégalitaire, que l'on pense, par exemple, au choix du lieu d'habitation dans les grands centres urbains ou aux difficultés croissantes que rencontrent certains à simplement partir en vacances. La prolifération récente, au moins en Europe, des salles de gymnastique et de remise en forme, des parcs de loisirs, des Aqualand et autres « bulles écologiques » est un autre signe révélateur de ce que l'homme et la nature sont en passe de devenir des objets de consommation. Souvent construites à l'aide de subventions publiques ou para-publiques, nécessitant l'acquittement d'un droit d'entrée relativement élevé, ces bulles vertes sont une (re)création artificielle de la nature, destinées à nous divertir et à nous reposer des fatigues et des violences de la vie moderne. Généralement, elles y réussissent et, malgré quelques échecs financiers ici ou là, elles attirent déjà et attireront de plus en plus un large public. Il n'en reste pas moins que leur existence même signifie que la « vraie » nature, celle façonnée par l'homme à l'extérieur de la bulle, est devenue à ce point polluée et invivable qu'il lui faut désormais se résoudre à fabriquer une nature inédite, sous serre, de la même manière qu'il accepte que dans les laboratoires de génie génétique se fabriquent, *in vitro*, de nouveaux organes ou types humains. Cette ère des bulles doit être interprétée comme le signe que nous entrons dans la dernière phase, terrestre, du dressage (consenti) de l'homme moderne à la consommation. Une fois que cette évolution sera accomplie, il pourra, si la nécessité s'en faisait sentir, transporter ces bulles, besoins, nature et hommes nouveaux confondus, dans l'espace. Le paradoxe est que le « désir de nature » se sera fait complice de cette apothéose de la consommation.

Voilà ce qu'il faut redouter. Mais cette évolution est-elle vraiment inéluctable ? N'y aura-t-il demain qu'artificialisation et consumérisme pour satisfaire les besoins de l'être humain ? Ou n'est-il pas possible, en prenant acte de l'échec de l'écologie radicale, d'imaginer une nouvelle éthique des besoins, qui soit à la fois compatible avec l'état des mentalités, la complexité de la situation planétaire, et soucieuse de réaffirmer clairement la vocation politique de l'écologie ?

Imaginer cette nouvelle éthique suppose d'abord de reconnaître le fait suivant : l'austérité volontaire ne sera pas le paradigme unique, la pierre angulaire d'une redéfinition écologique et politique des besoins. Même si cet *éthos*, nous l'avons vu, n'a jamais représenté dans l'esprit des écologistes radicaux la réplique inverse de l'insatiabilité moderne, il évoque, dans la caricature qui en est souvent faite, un refus de la civilisation et un idéal de fusion avec la nature trop marqué pour qu'il puisse ne serait-ce qu'être entendu par la majorité des membres des sociétés industrielles, convaincue que tout « retour à la nature » n'est rien d'autre qu'une lubie réactionnaire. En outre, l'austérité volontaire n'apparaît réellement praticable qu'au sein des collectivités humaines de petite taille, à l'image de la démocratie athénienne, des sociétés sauvages ou paysannes, où l'autolimitation des besoins allait de pair avec un faible taux de population, une économie peu prédatrice, une culture de proximité et des structures politiques de type communautaire. L'austérité volontaire a rimé et rimera toujours avec *Small is beautiful*. Or, par-delà les formes de sociabilité directe que les hommes continuent d'entretenir à l'intérieur des sociétés modernes, dans un quartier de ville, un village ou une association, ils vivent désormais, comme le disait Vance Packard, dans une « société d'étrangers[23] » aux dimensions sans cesse élargies et aux instances de pouvoir toujours plus lointaines ou disséminées. Enfin, le principe d'austérité volontaire présente ce défaut majeur d'être trop normatif, univoque, non pas tant d'ailleurs dans la manière dont le concevaient les écologistes radicaux que dans la façon dont il est spontanément ressenti par tout un chacun. Dans certains domaines, ceux, par exemple, de l'utilisation des ressources à l'échelle planétaire ou de la démographie dans les pays du tiers monde, l'autolimitation des besoins aurait, à l'évidence, d'indéniables vertus, tant en termes de diminution de la pollution que sur le plan de la

---

23. Vance PACKARD, *Une société d'étrangers*, Calmann-Lévy, Paris, 1973.

lutte contre la faim. De même, l'abondance dans les pays riches se résume trop souvent à la possibilité de disposer de biens que l'on n'utilise pas ou pas entièrement, de se sentir prisonniers de leur prolifération et d'être, bizarrement, à la fois culpabilisés et satisfaits que les chômeurs, les pauvres d'ici et d'ailleurs ne les possèdent pas. De ce point de vue, l'utilisation collective de certains objets, tels que la voiture et le partage du travail seraient deux « choix austères » qui ne manqueraient pas d'avoir des effets bénéfiques sur la vie quotidienne, la condition des personnes et l'atmosphère physique aussi bien que politique des sociétés occidentales. *A contrario*, dans d'autres domaines, l'idéal d'austérité volontaire apparaît comme un non-sens. Dans celui, assurément, de la satisfaction des besoins élémentaires (d'alimentation, de logement, de santé et d'assistance, de culture, de repos, etc.) où, chacun le constate quotidiennement, l'humanité se trouve très loin de la satiété. Ou bien encore, en ce qui concerne le besoin d'une nature moins artificialisée et le besoin de participation directe à la vie de la cité où les méfaits grandissants de l'industrialisation et de la technocratisation réclament plus que jamais de se montrer insatiables.

Aller au-delà de l'austérité volontaire et de l'insatiabilité consumériste. Tel est sans doute le chemin qu'il faut suivre, étroit et difficile, mais certainement le seul possible. Refuser l'austère lorsqu'il nous fait céder au piège du contre-discours de la consommation et nous enferme dans la simple négation de l'objet. Récuser l'insatiabilité quand elle accroît la domination conjointe de l'État et du marché sur les différents aspects de la vie sociale et individuelle. S'engager dans cette voie suppose, avant tout, d'admettre que notre conception des besoins est à la fois dichotomique et dépassée. Dichotomique car nous opposons les besoins primordiaux aux besoins supplémentaires, les besoins matériels aux besoins spirituels, les besoins privés aux besoins secondaires, alors que, pour ne jamais devoir être confondus sous peine de verser dans l'utopie totalitaire [24], ces différents besoins sont inextricablement liés, aussi bien sur le plan personnel que collectif. Dépassée parce que nous sommes hantés, au moins nous les Français, par le sens premier, étymologique, du mot besoin (besoin vient de besogne, c'est-à-dire pauvreté, nécessité) et que nous continuons d'envisager leur satisfaction selon le schéma des « trente glorieuses », lui-même issu des années trente et de la dernière guerre : satisfaire les besoins vitaux de l'être humain, le libérer du travail servile par le recours à la machine et lui ouvrir ainsi l'espace des loisirs et de la culture. Or ce schéma, malgré tous ses succès ou à cause d'eux, a fait faillite : seule une minorité d'individus, à la surface de la Terre, peut se prévaloir d'être sortie du monde du besoin ; la

---

24. C'est ce que montre bien Michaël IGNATIEFF, *La Liberté d'être humain. Essai sur le désir et le besoin*, La Découverte, Paris, 1986.

libération, sélective, du travail servile n'a que peu modifié la somme du travail journalier et a engendré des problèmes techniques, écologiques et humains sans précédent dans l'histoire ; et les loisirs et la culture sont, pour l'essentiel, livrés aux lois du marché et aux diktats de la publicité. Dichotomique *et* dépassée car nous ne cherchons vraiment à imaginer qu'un minimum vital, limité à l'Occident, dont nous confions la garantie, de plus en plus réduite et hypothétique, aux soins de l'échange marchand et des dispositions bureaucratiques de l'État-providence[25], laissant le reste de nos besoins dans l'ordre de ces diffus « suppléments d'âme » que l'État et le marché se chargeront, tôt ou tard, de définitivement préciser, instrumentaliser et rendre propres à la consommation. Or, depuis que l'homme a acquis la certitude qu'il lui serait un jour possible de maîtriser la nature et la nature humaine et que, malgré l'imminence de ce jour, nous avons encore du mal à imaginer les formes de contrôle social qu'entraînerait cette maîtrise, c'est précisément l'inverse

25. Le minimum vital dont nous parlons ici est, bien sûr, plus large que le *strict* minimum vital que sont censés assurer les différents systèmes de revenu minimum garanti récemment mis en place en France et en Europe. Toutefois, il faut remarquer que ce strict minimum vital, qu'il soit obtenu par l'intermédiaire d'un revenu minimum ou par quêtes de charité interposées, est bien révélateur de notre manque collectif d'imagination et de la montée en puissance de l'État et du marché : les miettes de l'échange marchand transitent par les quêtes de charité et le RMI par la bureaucratie. Mais il est sûr, évidemment, que tout cela vaut mieux que le total dénuement ! On se reportera, sur ces questions, aux propositions plus intéressantes et audacieuses d'un « revenu de citoyenneté », cf. *Bulletin du MAUSS*, n°s 23 et 25, 1989.

qu'il faudrait s'efforcer d'inventer. Un optimum vital. Celui-ci prendrait pour perspective la satisfaction universelle des besoins élémentaires dont les conditions sont, notamment, l'élaboration de nouvelles règles économiques et financières internationales, le partage des objets et du travail, la diminution des activités hétéronomes et salariées au profit des activités autonomes et non marchandes[26] et sans nul doute, comme l'écrivait déjà Marcel Mauss dans sa conclusion de l'*Essai sur le don*, que « les riches reviennent — librement et aussi forcément — à se considérer comme des trésoriers de leurs concitoyens[27] ». Cet optimum vital supposerait aussi que soit développée, notamment grâce à l'interdiction du cumul des mandats politiques, l'intervention directe des citoyens dans les affaires de la cité et que soit limité le fait bureaucratique par l'élaboration d'un droit des personnes et des minorités, droit national et international[28] complémentaire de celui de la Déclaration des droits de l'homme et du citoyen. L'application de ce droit et l'accès à ces responsabilités et à ces devoirs nouveaux seraient, bien sûr, inséparables d'une diminution du temps de travail journalier. Enfin, cet optimum vital néces-

26. Cf. les propositions récentes d'André GORZ, in *Métamorphoses du travail. Quête du sens*, Éd. Galilée, Paris, 1989.
27. Marcel MAUSS, *Essai sur le don*, in *Sociologie et Anthropologie*, PUF, Paris, 1950, p. 262.
28. Cf. chapitre précédent et, sur l'aspect international, les réflexions et initiatives de l'association « Droit contre raison d'État » ; Olivier RUSSBACH, *La Déraison d'État*, La Découverte, Paris, 1987.

siterait que soit fixé et constamment renouvelé le cadre écologique, juridique, esthétique, et éthique à l'intérieur duquel pourraient se développer une conception « bornée » de l'action de l'homme sur l'homme et une conception « usufruitière » de l'action de l'homme sur la nature[29] (cf. encadrés).

Pour une mise en culture de la science

« Nous comprenons le monde, de mieux en mieux, grâce à la science et le transformons de plus en plus, grâce (?) à la technique. Il n'est pas sûr que nous comprenions et transformions assez la science et la technique. Nous manquons à leur égard de la prise de champ, du décalage oblique, de la salubre ironie par quoi le réel cesse de sembler naturel. » C'est à cette nécessaire « mise en culture » de la science que nous convie Jean-Marc Lévy-Leblond, physicien théorique à l'université de Nice, dans le premier numéro de la revue *Alliage* dont il assure la direction, et dont le comité de parrainage comprend notamment d'Alembert, Archimède, Descartes, Marcel Duchamp, Klee, Le Corbusier, Pascal, Edgar Poe, Boris Vian et Léonard de Vinci.

Alliage est la première revue à se fixer explicitement comme objectif la confrontation des points de vue sur les problèmes que le développement technico-scientifique pose à l'individu, à la société et à la nature.

Le Monde diplomatique, oct. 1989, p. 19.

---

29. De nombreuses réflexions et propositions vont désormais en ce sens. Cf. Bernard EDELMAN, Martine RÈMOND-GOUILLOUD, Catherine LABRUSSE, Marie-Angèle HERMITTE, *L'Homme, la Nature, le Droit*, Paris, 1989.

Manifeste « Maîtriser la science »

Le désir de connaître le monde est aujourd'hui débordé par le besoin de l'exploiter. La production des connaissances scientifiques et des innovations est largement prise en charge par des institutions à buts technologiques. La recherche, qu'elle soit dite « fondamentale » ou « appliquée », est orientée par des choix économiques, sociaux, sanitaires ou militaires.

Le chercheur ne peut ignorer cette orientation, et la société est en droit de la juger. Fonctionnant sur un mode réductionniste, en ignorant toute autre forme de connaissance et de vérité, la science entre en conflit avec la nature, la culture et les personnes.

Ainsi, sauf à être contrôlée et maîtrisée, elle fait courir des risques graves à l'environnement, aux peuples et aux individus. Pourtant le processus de développement scientifique s'auto-accélère avec l'assentiment naïf de sociétés qui acceptent de ne rêver l'avenir que dans l'artifice technique, alors que l'identification de la production scientifique au progrès, et même au bonheur, est largement une mystification. L'accélération de la production scientifique induit un changement qualitatif de la dépendance des individus par rapport à la science. Cela vaut évidemment pour la vie pratique sans cesse modifiée par les techniques, mais aussi pour les aspects les plus intimes de la vie. Les notions de subjectivité, d'intimité, de secret, sont battues en brèche par des disciplines scientifiques de plus en plus indiscrètes qui, à défaut de tout comprendre, prétendent tout mettre en lumière.

Au nom de la vérité scientifique, la vie est réduite à ses aspects mesurables. La spécialisation de plus en plus étroite des chercheurs encourage leur myopie quant à leur fonction dans la société et crée des cloisons étanches entre les disciplines scientifiques.

Il est certes difficile de revenir sur les acquis technologiques, aboutissements des activités scientifiques, et qui conduisent à la création de nouveaux besoins selon une spirale industrielle que ne maîtrisent ni les chercheurs ni les consommateurs.

Nous croyons que la lucidité doit primer sur l'efficacité et la direction sur la vitesse. Nous croyons que la réflexion doit précéder le projet scientifique, plutôt que succéder à l'innovation. Nous croyons que cette réflexion est de caractère philosophique avant d'être technique et doit se mener dans la transdisciplinarité et l'ouverture à tous les citoyens.

(Ce texte a été signé par les personnes suivantes : Jean Arsac, informatique, université Paris-VI ; Michel Bounias, biochimie, université Avignon ; Michel Casse, astrophysique, CEA-Saclay , Jean-Paul Deléage, physique, université Paris-VII ; André Gsponer, physique des hautes énergies, ISRI-Genève ; Albert Jacquard, génétique, INED-Paris ; Jean-Marc Lévy-Leblond, physique théorique, université Nice ; Jean-Marc Meyer, embryologie, université Strasbourg ; F.-B. Michel, pneumologie, université Montpellier ; Jacques Panijel, immunologie, CNRS-Pasteur ; Bernard Prum, statistique médicale, université Paris-V ; Jean-Paul Renard, embryologie, INRA-Pasteur ; Jean-Claude Salomon, cancérologie, CNRS-Villejuif ; Jean-Louis Scheidecker, astronomie, CNRS-Nice ; Jean-Paul Shapira, physique nucléaire, Orsay ; Michel Sintzoff, informatique, université Louvain ; Jacques Testard, biologie, INSERM-Clamart.)

Le Monde, 19 mars 1988.

Le besoin émietté en d'innombrables objets de consommation, le travail parcellisé en tâches répétitives et autoritairement imposées, la politique confisquée par les états-majors des partis ou les couloirs de la bureaucratie, l'homme en pièces détachées, la nature sous serre ou en réserves protégées ne sont en fait que les multiples symptômes d'un seul et même phénomène : nous pensons le monde des besoins avant le besoin du monde, alors que nous devrions, ici encore, tenter de faire l'inverse. Mettre demain le besoin du monde avant le monde des besoins, c'est en définitive s'atteler à une triple tâche, théorique et pratique. C'est d'abord chercher à évaluer les prix écologiques, politiques, sociaux, esthétiques et humains de nos besoins et commencer à réapprendre pas à pas, à nous passer de ceux que nous estimons, individuellement et collectivement, payer « trop cher ». C'est ensuite analyser la chaîne ininterrompue qui court du besoin à travers la science, la technique, l'économie, l'objet et son usage jusqu'à nos relations sociales et politiques et notre rapport à la nature afin que se réfracte, dans la définition et la satisfaction de nos besoins, ce monde commun qu'appelait de ses vœux Hannah Arendt. Et c'est enfin accepter à nouveau que l'homme soit un être de dette. Dette envers le passé, le présent et l'avenir qui, face au pouvoir du fait accompli que lui confère son action transformatrice du monde, lui impose d'imaginer, sous des formes nouvelles, des besoins et des droits conservateurs. Si par inconscience, négligence ou plus simplement habitude, l'humanité en venait à oublier cette triple tâche, il n'est pas sûr, contrairement à ce qu'avancent certains, qu'elle irait inévitablement à la catastrophe écologique. Mais, plus probablement, vers un désastre social et politique.

6

L'arrachement à la terre

Il nous paraît impensable de tenter de réfléchir au sens que revêt encore, pour de nombreux individus sur la planète, l'attachement à la terre, sans nous interroger préalablement sur la portée de son symétrique absolu, l'arrachement à la terre, qui a accompagné l'avènement des sociétés modernes, marchandes et technoscientifiques. Que peut-on penser ainsi de la volonté très souvent exprimée par les experts et les responsables de la politique agricole, de ne conserver en France que 300 000 agriculteurs chefs d'entreprises n'entretenant avec la terre que des rapports technico-économiques, instrumentaux et utilitaristes ? Comment concevoir, alors, les attributions des futurs « jardiniers de la nature » avec ces tenants d'une agriculture toujours plus intensive [1] ? Ces jardiniers,

1. Pierre ALPHANDERY, Pierre BITOUN, Yves DUPONT, *Les Champs du départ. Une France rurale sans paysans ?*, La Découverte, Paris, 1989.

éboueurs d'une agriculture à deux vitesses, seront-ils chargés de la dénitrification des nappes phréatiques, de la vaporisation de parfums champêtres à proximité des porcheries industrielles et de la lutte contre l'enfrichement des terres agricoles considérées dans cette logique comme les moins bonnes ? Ou bien leur confiera-t-on la responsabilité de l'animation d'un espace rural en voie de désertification ? Deviendront-ils les guides, au sein du « rural profond », de cadres d'entreprises démotivés et dépressifs à la recherche « d'expériences limites » ? Va-t-on, enfin, encore longtemps admettre, selon la théorie de l'économiste Joseph Klatzmann, que chaque fois qu'un agriculteur quitte la terre, l'économie y gagne ?

On peut effectivement considérer qu'une telle évolution, malgré les désagréments qu'elle cause momentanément à la nature, aux agriculteurs évincés de la production et aux autres exclus de la modernisation, témoigne néanmoins d'un développement croissant de la rationalité, de la science et de la technique. Il est possible de n'y voir, en effet, qu'une consolidation des sociétés démocratiques qui se manifesterait par un accroissement des libertés et du bien-être pour des individus de plus en plus nombreux à être débarrassés des servitudes du sol, de l'enracinement et de la sédentarité. Il n'y aurait donc pas lieu, ainsi que l'affirmait récemment Marcel Gauchet dans un très bref texte où la haine et la violence le disputent à la méconnaissance du monde agricole et de son évolution, de « pleurer les paysans » dont l'extinction, fort heureusement, serait pour bientôt. Passant allégrement sous silence la très grande diversité des agriculteurs ou des paysans (certains, ne souffrant pourtant pas d'antimodernisme primaire, persistant à se qualifier de cette manière), la variété de leurs spéculations et de leurs systèmes de production, les aspirations, enfin, d'une fraction nettement majoritaire d'entre eux à la consolidation des valeurs démocratiques, Marcel Gauchet reprend à son compte, sans la discuter, la vieille figure dichotomique chère à l'économie rurale. Celle qui oppose, fondamentalement, la tradition à la modernité, les paysans à, selon son expression, « l'entrepreneur ès agriculture » (!), « l'une des espèces les plus irréductiblement rebelles à l'esprit authentique de la démocratie » (les paysans), à « l'homme libre (qui) n'existe encore qu'à l'état d'échantillons singuliers » (et qui s'incarne en agriculture, dans la figure du chef d'entreprise [2]). Ce qui, essentiellement, rebute Marcel Gauchet chez le véritable paysan, c'est justement son enracinement dans un sol, son attachement à la communauté, c'est que son « humilité », même lorsqu'il se révolte, en fait un être de la servitude et de la haine qui lui interdit d'emblée et pour toujours de « s'identifier aux règles d'un univers de liberté ». Pour Marcel Gauchet, en effet,

2. Marcel GAUCHET, « Pleurer les paysans ? », in *Le Débat*, n° 60, mai-août 1990.

cette « terrible vérité » n'a pu échapper qu'aux « célébrants niais de la convivialité villageoise[3] ». Mais qui sont donc ces niais ? La généralisation abusive et le flou délibéré de la formulation ne permettent pas, au moins apparemment, de le savoir. On peut toutefois estimer que sont essentiellement visés la fraction des écologistes et les militants « tiers-mondistes » qui critiquent les méfaits du développement et qui n'ont pas renoncé à concevoir des alternatives n'impliquant pas l'élimination des paysans et l'industrialisation totale de la production agricole. Mais si ces derniers sont des niais, quels qualificatifs faudra-t-il appliquer à ceux qui, se plaçant dans une perspective planétaire, ont l'audace ou l'impudence de considérer que l'arrachement à la terre s'est d'abord accompagné, pour des millions d'individus, d'une perte d'autonomie, de liberté et de dignité ? Dira-t-on, avec Marcel Gauchet, que ceux qui pensent ainsi sont victimes de leurs « effusions écophiles » et, qu'après avoir vanté auprès des déshérités les charmes du modèle de développement industriel de type stalinien, ils leur proposent aujourd'hui les technologies douces qui leur interdiraient, de fait, l'accès à la croissance et au bien-être ? Pour Marcel Gauchet, à l'évidence, « l'écologiste se définit d'emblée comme celui qui a le moins de solutions au problème qu'il pose[4] ».

---

3. ID, *ibid.*
4. Marcel GAUCHET, « Sous l'amour de la nature, la haine des hommes », in *Le Débat*, *op. cit.*

Déraciner, rationaliser, stocker et vendre

Ainsi, il semble tout à fait évident que si la sensibilité et la conscience écologiques n'existaient pas, le « développement », par quoi il faut entendre le décollage économique et l'accès potentiel à la liberté pour des individus débarrassés du carcan de la communauté, aurait déjà eu comme corollaire sur l'ensemble de la planète, à l'Est comme à l'Ouest, au Nord comme au Sud, la disparition des paysans et la désertification des campagnes. Tout ne se serait pas nécessairement passé à l'Est, évidemment, comme dans la Roumanie totalitaire de Ceaucescu où le pouvoir voulait organiser, « scientifiquement », la destruction des villages et des communautés rurales pour créer de toutes pièces des batteries de travailleurs de la terre concentrés dans les agrovilles ou des centres agro-industriels. Par l'application de ce « plan de systématisation » on aspirait, disait-on, à supprimer les différences entre la ville et la campagne et à avancer vers la construction d'un peuple unique ouvrier. Les paysans ainsi éduqués et déracinés devaient laisser derrière eux leurs petits lopins de terre et tout un système de valeurs pour devenir des ouvriers agricoles sans mémoire et sans terre.

A l'Ouest, les manipulations génétiques vont bientôt permettre de fabriquer des animaux énormes mais dont l'arrière-train, monstrueusement développé pour satisfaire le goût des consommateurs, leur interdira toute capacité de déplacement autonome : « Nous inventons tout, jusqu'à des porcs qui possèdent quelques côtelettes de plus[5]. » Plus fondamentalement, ainsi que le soulignent les auteurs de *L'Homme, la Nature, le Droit*, la métaphore économique industrielle et techniciste a déjà conquis le règne du vivant. Joël de Rosnay, pourtant considéré comme étant sensible à la question écologique, compare le chloroplaste de la cellule à une « usine à photosynthèse » ; Jacques Monod présente les êtres vivants comme des machines qui se construisent elles-mêmes et qui se reproduisent, François Jacob attribue aux lois de l'hérédité les caractéristiques d'une calculatrice et décrit la bactérie comme une « petite usine chimique[6] ».

Ainsi, le développement de la science et de la technique a-t-il déjà rattrapé, voire dépassé, l'imagination des utopistes et des auteurs de science-fiction. On pourrait même, pourquoi pas, se passer bientôt des agriculteurs car on n'en aura plus besoin. Il deviendrait possible, comme le décrivait Barjavel dans son roman *Ravages* publié en 1943, de mettre la viande en culture sous la direction de chimistes. Décrivant le monde du XXIe siècle (l'action se passe en 2052), l'auteur met en scène une société où l'on consomme, en guise de viande, une substance de synthèse unique mais aux goûts

5. Bernard EDELMAN et *al*, *L'Homme, la Nature, le Droit*, *op. cit.*
6. ID., *ibid.*

variés, la « viande » produite industriellement, sans peaux ni graisses, étant aromatisée pour évoquer la saveur du bœuf, du chevreuil, du pigeon ou du veau. Dans un tel monde, la question de la protection d'espèces menacées de disparition ne se pose évidemment plus ! La fiction, cependant, n'apparaît de plus en plus que comme une anticipation de la réalité à venir. Ainsi, en Beauce, on parvient déjà à se passer du sol pour la culture de certains végétaux : « Avec un régulateur de croissance hormonal, on a pu réduire de trois ans à huit mois le temps de floraison des ananas. Naturellement, le sol est inutile... Dans ce système, les plantes circulent sur des convoyeurs aériens. Elles ne sont enracinées dans aucun support. Lorsqu'elles passent dans la zone de nourriture, les racines sont arrosées avec la solution nutritive. Si l'espace vient tout à fait à manquer sur terre, on entreprendra de faire pousser les légumes dans le ciel[7]. »

Il ne s'agit là, pratiquement, que d'un aboutissement. En effet, dans l'élevage des animaux, l'obtention de gains de productivité a été réalisée, dès la fin des années soixante, par le développement des productions qualifiées de « hors sol ». Dans les bâtiments où sont élevées les volailles en particulier, les animaux sont confinés dans des espaces superposés, sans contact avec le sol et ne

7. Éric FOTTORINO, *La France en friches*, Éd. Lieu commun, Paris, 1989.

reçoivent qu'une lumière artificielle[8]. Et, durant la sécheresse qui a affecté l'Ouest de la France durant les mois de juillet et d'août 1990, où ces productions atteignent des niveaux de concentration spectaculaires, le quotidien *Ouest-France* titrait « Poulaillers : l'enfer » : « La vague de chaleur affecte surtout les poulaillers. Plusieurs dizaines de milliers de volailles ont péri au cours des quinze derniers jours, particulièrement lors du week-end du 14 juillet. La température était montée dans les élevages jusqu'à 37 degrés[9]. » Les responsables des sociétés d'abattage ont, à cette occasion, déploré les moins bonnes performances techniques des élevages et les incidences de cette canicule sur la croissance de ces poulets. En ce qui concerne les productions bovines on a, de manière comparable ou en appliquant les mêmes techniques, progressivement expérimenté le système du *zero-grazing* (du « non-pâturage »), l'animal recevant son fourrage sans avoir accès à la prairie ou à l'herbage,

---

8. « Mort immédiate pour les mâles, mort différée pour les femelles, qui devront apprendre à survivre dans l'espace concentrationnaire de l'élevage industriel. Tournées dans une ferme d'élevage dite ''en batterie'' des environs de Lamballe où 180 000 pondeuses se pressent à six par cage dans des hangars exigus, ces images ne laissent aucune place au doute : c'est inhumain. Des justiciers de poulailler, qui élèvent non loin de là de la volaille en liberté, en ont d'ailleurs subtilisé quelques-unes en catimini pour les mêler aux leurs. Folles, hystériques, l'œil hagard, les pauvres bêtes ont perdu toute apparence animale. Marchent-elles, elles tombent... Picorer, boire ? Courir, sentir la pluie, l'herbe ? Comment le pourraient-elles, désorientées, perchées sur des ergots atrophiés, déformés. Voilà donc les infirmes qui fournissent les œufs frais à nos supermarchés. » Véronique MORTAIGNE, « Digérer l'agonie », supplément au journal *Le Monde* du 31 déc. 1989.

9. *Ouest-France*, 31 juil. 1990.

sans pouvoir fouler le sol et ne disposant, pour se déplacer, que d'« aires d'exercice » le plus souvent en béton. La situation n'est guère plus enviable pour les veaux en batterie qui sont enfermés dans un box de 120 centimètres sur 65 et qui, sans force et bourrés de vitamines et d'antibiotiques, ne sortiront de leur espace carcéral que pour être directement conduits à l'abattoir.

Au moment même où de nombreux écologistes et de plus en plus de scientifiques s'inquiètent des menaces que fait peser sur la planète l'appauvrissement de la faune et de la flore du fait de la disparition vertigineuse d'espèces et d'essences, quelques juristes attentifs montrent qu'il ne s'agit là que de l'un des aspects d'un processus plus général. Ils observent en effet que, dans le même temps, les normes d'organisation de l'espace foncier, immobilier, industriel, comme tout l'ordre juridique qui réglemente la sélection des variétés végétales, les races animales, leurs méthodes d'élevage intensives, le marketing des semences, produisent le même effet : l'uniformisation[10]. Ce sont, évidemment, une plus grande efficacité et une meilleure productivité qui sont recherchées par le développement de ces techniques. Ainsi, M. Wolter, professeur à l'école vétérinaire d'Alfort, déclarait-il récemment lors d'une journée consacrée à l'importance de l'alimentation des animaux pour enrichir la composition du lait : « Le

10. Bernard EDELMAN et *al.*, *op. cit.*

carburant (l'alimentation) doit fournir l'énergie et les matériaux qui donnent la matière protéique, les acides aminés. Quant au moteur (la vache laitière), à l'image d'une machine à digérer, il doit éviter les ruptures de régime et fonctionner le plus souvent [11]. »

A négliger de prendre en considération l'ensemble de ces phénomènes il est aisé de taxer la zoophilie, affection dont sont censés souffrir de plus en plus d'individus à l'ère du narcissisme, de « maladie infantile de l'écologisme ». Comme si cette hypersensibilité, évidemment atterrante par certains de ses développements, n'entretenait aucun rapport avec les traitements infligés aux animaux par l'agriculture productiviste. Quoi qu'il en soit et malgré le caractère selon nous excessivement polémique de son propos, Éric Conan n'a pas tort de remarquer que les animaux de compagnie, victimes d'un excès d'amour et d'« humanisation », ne sont pas fondamentalement mieux traités que les animaux d'élevage. Le moment est-il venu, alors, dans les sociétés démocratiques et étatico-marchandes, d'instaurer des droits de l'animal après avoir promulgué des droits de l'homme et du citoyen et des droits de l'enfant ? Ce serait, en effet, au sein du même processus, comme semble le démontrer Jean-Pierre Digard, que le « chômage doré » des animaux de compagnie tendrait à devenir le corollaire de l'ins-

---

11. *La Manche libre*, 28 nov. 1989.

trumentalisation totale des animaux d'élevage et constituerait le fondement du développement de la zoophilie. Comme si un excès de protection des premiers pouvait parvenir à compenser, plus ou moins consciemment, la violence tout à fait palpable des traitements infligés aux seconds[12]. Était-ce pour toutes ces raisons, ou bien parce qu'il redoutait que l'homme soit un jour et à son tour victime de tels traitements que François Dagognet, médecin et philosophe, appelait récemment, compte tenu des progrès vertigineux de la biologie, à concevoir séparément les règnes végétal et animal d'un côté et le proprement humain de l'autre[13] ? Il serait alors à souhaiter que le droit, comme il arrive de plus en plus souvent, ne soit pas trop à la remorque de l'économie et des rapports sociaux car, dans un tel cas de figure, l'intervention juridique a davantage pour objet de protéger des individus dont la liberté se restreint que d'en élargir le champ et l'usage[14].

Vers la circulation généralisée d'objets nomades ?

On ne saurait sous-estimer la portée des exemples qui précèdent car ils tendent déjà à mettre en

12. Éric CONAN, « Quel animal ? », in *Esprit*, n° 5, mai 1990.
13. *Colloque Science et Philosophie* (Le Mans, nov. 1989).
14. Bernard EDELMAN et *al.*, *op. cit.*

évidence le lien essentiel, spécifique aux sociétés marchandes et technico-scientifiques, qui lie consubstantiellement la croissance, la rationalisation et la productivité, à la suppression de tout support, de toute forme d'attachement au sol, d'enracinement et de sédentarité. C'est qu'en effet, dans une telle logique, il faut d'abord selon l'expression favorite des économistes, « décoller », se détacher de la terre, rompre avec l'immobilisme et le retour du même.

Ainsi, avec le développement des manipulations génétiques, c'est la vie même qui finit par être dissociée de son support originel et qui, produite en série, va pouvoir s'acheter, se vendre, s'échanger et circuler comme n'importe quelle autre marchandise : « Il y a désormais un marché de la nature (biotechnologies, industrie des semences...), comme il y a un marché de l'homme (banques de sperme, location d'utérus...), et la conjoncture de la science et du marché, de la technique et de l'industrie est en passe de provoquer une mutation culturelle sans précédent [15]. » Le stockage, la mise en mémoire ou en suspension d'espèces, leur fabrication à l'extérieur de leur cadre naturel par l'ingénierie pharmaceutique peuvent dès lors se généraliser : dans certains pays, les mères porteuses sont rémunérées pour le service qu'elles rendent, l'enfant n'est plus rattaché à son support naturel, sa mère, les ventes plus ou

15. Bernard EDELMAN, « Entre personne humaine et matériau humain : le sujet de droit », *in* Bernard EDELMAN et *al.*, *op. cit.*

moins licites d'organes et de sang se développent, révélant quelquefois, comme dans les énucléations d'enfants errants à Bogota, leur caractère monstrueux et profondément immoral[16]. De manière comparable et tout aussi cynique, c'est dans le même temps où il y exporte son modèle de développement que l'Occident inonde l'Afrique de ses déchets toxiques[17].

A suivre le sociologue Jean Baudrillard, l'enfant-bulle pourrait préfigurer l'existence future, celle où les hommes seront « pressés sous vide comme les disques, conservés sous vide comme les surgelés, mourant sous vide comme les victimes de l'acharnement thérapeutique ». Car tout devient progressivement susceptible d'être congelé, stocké, mis en mémoire ou sur orbite, les bombes, les déchets et, pourquoi pas, la pensée elle-même[18]. Dans une telle perspective, déjà abondamment critiquée par les écologistes, tout ce qui pourra être techniquement réalisé devra être entrepris[19], tout ce qui aura de la valeur, y compris l'environnement, ne la tirera que de son utilité et de son évaluation comptable[20].

---

16. Sur cette question des supports, cf. Jean-Louis DÉOTTE, *Pourquoi conserver*, *Rapport au ministère de l'Environnement*, juin 1988.

17. Anne MAESSCHALK, Gérard DE SELYS, « Le cri d'alarme des pays poubelles », in *La Planète mise à sac, « Les Dossiers du Monde diplomatique »*, n° 8, mai 1990.

18. Jean BAUDRILLARD, *La Transparence du mal*, Éd. Galilée, Paris, 1990.

19. Dominique SIMONNET, « L'Écologisme », *op. cit.*

20. Sur cette forme de quantification et d'utilitarisme relatifs à la gestion de l'environnement, cf. Wolfgang SACHS, « Le culte de l'efficience absolue », *op. cit.*

Il n'y a là, après tout, rien d'inquiétant, disent et écrivent ceux pour lesquels les écologistes sont de doux rêveurs, des démagogues plus ou moins fascisants ou, selon l'expression de Marcel Gauchet, des pourfendeurs de la technique animés par la « détestation passéiste de la modernité industrielle[21] ». Ainsi, les auteurs d'un rapport annuel sur l'état de la planète seraient des faussaires dont l'esprit catastrophique exploiterait les peurs créées par le développement de la science et de la technique[22]. Devra-t-on alors considérer que Michel Albert, décrivant à la demande de la revue *Le Débat* dont le rédacteur est justement Marcel Gauchet, l'état probable du monde autour de l'an deux mille, aurait succombé à un pessimisme incontrôlé ? « Nous *savons* que la planète de l'an deux mille sera beaucoup plus polluée que tout ce qu'on avait pu imaginer dans l'histoire : l'atmosphère chargée en gaz carbonique, l'eau nitratée, les mers littéralement dégoûtantes. Nous *savons* que nous allons vers un embouteillage généralisé dans les villes et dans les airs : les aéroports par où passent encore tant de rêves seront devenus des lieux de cauchemar... Tout cela est trop évident pour qu'il soit utile d'y insister[23]. » Critiquant

21. Marcel GAUCHET, « Sous l'amour de la nature, la haine des hommes », *op. cit.*

22. « L'état de la planète » : rapport annuel du Worldwatch Institute, *Economica*. Selon Elizabeth Badinter, interviewée par *L'Événement du jeudi* en juin 1989, « le retour à la nature, c'est vraiment l'expression d'une peur irrationnelle de l'homme vis-à-vis de lui-même et de ce qu'il crée ».

23. Michel ALBERT, « Face à l'imprévisible : mille milliards de scénarios », in *Le Débat*, *op. cit.*

abruptement le « retour du capital » qui produit symétriquement, avec le règne sans partage de l'idéologie économiste, la réalisation de fortunes immenses et le développement de nouvelles grandes pauvretés, Michel Albert stigmatise la promotion de la drogue par ces sociétés, la corruption, la misère des services publics, le déracinement, les inégalités et l'analphabétisme, comme autant de facteurs engendrant la montée de la violence et des contestations dures. Plus compréhensif que les apologistes de la science et de la technique à l'égard de l'écologie, il lui accorde à la fois une pertinence morale et la possibilité de devenir véritablement politique bien qu'elle conteste, ou plus exactement parce qu'elle critique de manière constructive, le développement de la science « à tout prix[24] ».

La vision de l'avenir que dessine Jacques Attali dans son dernier ouvrage n'est guère plus enthousiasmante. Si n'interviennent pas en effet, rapidement et très efficacement, une série de mécanismes correctifs élaborés démocratiquement par des institutions supranationales capables de raisonner à l'échelle de la planète, la barbarie, la mort de l'espèce ou l'anéantissement des conditions mêmes de la vie par les différentes formes de pollution ne manqueront pas de se produire dans les délais les plus brefs[25]. Passons sur l'ensemble des problè-

---

24. ID, *ibid.*
25. Jacques ATTALI, *Lignes d'horizon*, Fayard, Paris, 1990.

mes qui résulteront de la redéfinition des zones de pouvoir et d'influence entre grandes puissances économiques pour mettre l'accent sur les phénomènes qui en sont déjà et en seront chaque jour davantage le moteur. Ce qui, pour Jacques Attali, est au cœur de cette nouvelle dynamique et des menaces qu'elle fait peser sur l'avenir du monde, c'est fondamentalement l'apparition et la généralisation d'un nouveau type d'objets : les *objets nomades*. Certains d'entre eux, déjà quasi banalisés, font l'objet d'une utilisation courante procurant à ceux qui les détiennent dans les pays les plus riches de nouveaux signes de distinction : baladeurs, téléphones et ordinateurs portables, téléfax et autres objets susceptibles d'augmenter la mobilité des hommes, de réduire le temps consacré à certaines activités nécessaires : plats préparés, fours à micro-ondes... Premiers exemplaires du nouveau marché gigantesque qui s'annonce et de la logique sur laquelle il prend appui, ces objets ne font que préfigurer le moment où l'homme lui-même, devenu complètement nomade, n'aura plus ni adresse ni famille stable, celui où il portera sur lui « tout ce qui fera sa valeur sociale[26] ». Facteurs potentiels de saturation ou d'indigestion, ces objets seront convoités par des individus décidés à s'endetter pour les empiler, livres ou disques compris, alors qu'ils auront de moins en moins le temps de les lire ou de les écouter.

26. Jacques ATTALI, *Lignes d'horizon*, *op. cit.*

Plus fondamentalement, l'homme des sociétés régies par la production et la circulation ininterrompue des objets nomades devra se conformer à des règles draconiennes en matière comportementale. Mince, toujours en bonne santé, actif, porteur d'appareils miniaturisés le renseignant sur sa tension artérielle, son taux de cholestérol, beau, en forme et bien formé, il sera de plus en plus apte à « satisfaire sa passion de lui-même. Le *narcissisme* sera le guide du nomade de demain[27] ». A terme, en fait relativement rapidement, on pourra efficacement suppléer à la défaillance de la plupart de ses organes lorsque sera advenue, toujours selon l'analyse prospective de Jacques Attali, l'ère du cannibalisme industriel, le moment où « l'homme consommera — au sens marchand du terme — des morceaux d'homme[28] ». A l'autre bout de la chaîne, la drogue servira de moyen de transport aux nomades immobiles ou immobilisés qui constitueront la masse des exclus. Entre ces deux extrêmes, coincés entre les narcisses à prothèses et les sédentaires contre leur gré, ceux qui ne seront pas tout à fait marginalisés deviendront eux aussi, transformés qu'ils auront été en objets de travail, des objets nomades. Passons, là encore, sur les trajectoires insensées auxquelles devront se conformer ces drôles d'objets nomades et sur la définition de quotas d'entrée par les États soucieux

27. ID., *ibid.*
28. ID., *ibid.*

de défendre leurs frontières et leurs privilèges lorsque cela ne sera pas leur race. A suivre Attali, quand tout sera devenu brevetable, végétaux, animaux, hommes et organes, lorsque l'on pourra vendre des bouts de soi-même, acheter son double, ou encore une copie clonée de son conjoint ou de son animal de compagnie, l'homme sera devenu prothèse de lui-même : « Folie de nomade où se dissoudra la distinction entre l'homme et l'artefact, entre la *culture* et la *barbarie*, entre la vie et la mort, entre le sacré, la force et l'argent... Mort de l'espèce[29]. »

Passons, enfin, sur l'ensemble des dégradations causées à la nature par son exploitation minière : pollutions diverses, déforestations, atmosphère de plus en plus irrespirable, accumulation de déchets, érosion et défertilisation des terres, dont Attali reconnaît pleinement l'existence, alignant ses propres observations sur les rapports des experts auxquels nous nous sommes nous-mêmes référés. L'histoire aura alors donné raison aux utopistes les plus pessimistes. Ainsi, dans *Le Dernier homme*, un ouvrage posthume paru peu après la Révolution française, Grainville avait décrit la fin des temps et les derniers moments de l'humanité. Il avait mis en scène la disparition du dernier couple de la dernière contrée habitable du globe après que la Lune eut explosé et que le Soleil se fut refroidi. Conséquence du développement incontrôlé de l'indus-

29. Id., *ibid.*

trie, les sols, écrivait-il, s'étaient détériorés, la Terre s'était enlaidie et, pour accéder aux dernières terres fertiles, on avait dû détourner des fleuves et déplacer des mers[30].

Une telle évolution, on le découvre aujourd'hui, ne peut être considérée comme propre à la logique de développement occidentale. Il est même indéniable, à la différence de ce qui se passe pour la conquête de l'espace où Américains et Soviétiques sont encore au coude à coude, que les communistes sont devenus imbattables en matière de pollution : « De nombreux fleuves sont devenus des égouts et leurs poissons ne sont plus consommables... La Caspienne, la mer d'Azov, la mer Noire, la Baltique et la mer Blanche sont gravement malades et l'Aral est à l'agonie... Les sources tarissent sans que l'on y prenne garde et les petites rivières disparaissent. La terre donne des moissons saturées de pesticides et de nitrates... Des milliers d'hectares de terres fertiles ont été submergés, salinisés et sont perdus à jamais par la faute de l'irrigation insensée... La fertilité des sols décline à vue d'œil[31]. » Par ailleurs, si le souvenir de la catastrophe de Tchernobyl reste inscrit dans toutes les mémoires, on semble moins

30. « La Cité idéale, visages de l'utopie », in *La Quinzaine littéraire*, numéro spécial, août 1981.

31. S.P. ZALYGUINE *et al.*, « Message au congrès des députés du peuple », *Literatournaïa Gazeta*, Moscou, n° 21, 24 mai 1989. Cité *in* Marie-Hélène MANDRILLON, « Environnement et politique en URSS », art. cité.

s'inquiéter, dans les pays occidentaux, des drames vécus par les populations de la presqu'île de Tchoukotka, dans l'océan glacial arctique où l'espérance de vie des habitants n'est que de 45 ans. Les taux de pollution radioactive liée aux essais nucléaires y ont en effet eu des conséquences dramatiques : « Pratiquement 100 % des habitants souffrent de tuberculose pulmonaire, 90 % d'autres maladies chroniques... On voit apparaître de nouvelles formes de tumeurs malignes : sur le tissu osseux, le tissu conjonctif et la thyroïde. Dans le premier village que nous avons visité, le président du soviet local nous a informés que pratiquement toute la population adulte souffrait de cancers [32]. »

Cependant, rassurons-nous et foin de nostalgie ! On peut toujours trouver des solutions, y compris aux problèmes qui paraissent insolubles. Ainsi, les mesures que propose aujourd'hui Jean-Paul Deléage pour mettre fin aux ravages causés par les excès du productivisme sont-elles simples et, à l'évidence, très progressistes. Elles consistent, en s'appuyant sur les principes d'un marxisme rénové et déstalinisé, à encourager le développement d'une science des écosystèmes et, il fallait y penser, à renverser l'ordre des déterminations dans les relations dialectiques qu'entretiennent les

32. E. LOUPANDINE, V. GAIER, « La radioactivité affecte les ethnies du Grand Nord », *Les Nouvelles de Moscou*, Paris, n° 35, août 1989. Cité in *Environnement et politique en URSS, op. cit.*

forces productives et les rapports de production. Ce ne seront plus, selon lui et dorénavant, les rapports de production qui devront s'adapter au développement des forces productives, ce sont les rapports de production qui devront s'affranchir de la logique indéfinie des forces productives[33]. Quoi qu'il en soit, en attendant que ce renversement se soit opéré et qu'il ait porté tous ses fruits, on peut se demander s'il n'existe pas d'autres alternatives.

L'obstacle écologique

Ne sommes-nous pas fondés alors, confrontés que nous sommes à la probabilité d'une telle évolution, à ne pas considérer ce mouvement général d'arrachement des végétaux, des animaux et des hommes à la terre, d'artificialisation et d'uniformisation de la nature et de la vie, comme des aspects seulement secondaires du « développement » ? Pouvons-nous et devons-nous suivre Marcel Gauchet lorsqu'il écrit de manière aussi volontariste que peu argumentée que « les remèdes à ce grand défi (le problème écologique) sont dans le surcroît de science, de technique et d'industrie qui nous mettra à la hauteur de nos

33. Jean-Paul DELÉAGE, « Le Rapport des sociétés à la nature : une question de vie ou de mort », in *Le Rapport à la nature, l'Homme et la Société*, n° 91-92, L'Harmattan, Paris, 1989.

responsabilités envers un milieu devenu artificiel et à la charge de ceux qui l'habitent — la biosphère devenue anthroposphère[34] » ? Pour quelles raisons nous faudrait-il adhérer à l'hymne pro-industriel du philosophe François Guéry qui semble partager avec Marcel Gauchet la position idéologique selon laquelle les écologistes ne comprendraient pas grand-chose aux questions qu'ils entendent soulever parce qu'ils souffriraient d'un gauchisme et d'un anarchisme entachés d'intransigeance ? Est-ce véritablement la hargne que François Guéry leur attribue qui leur permet de séduire et d'embrigader tous « les sinistrés de la critique sociale[35] » et d'alimenter « la mythologie antiscience et anti-industrielle » spécifique à « l'enfance de la critique écologique[36] » ? Outre que ces critiques à l'emporte-pièce de la sensibilité et de la réflexion écologiques ne nous disent rien des mesures qu'il faudrait prendre pour maîtriser le processus d'industrialisation et d'artificialisation du monde, elles tendent, de manière plus ou moins insidieuse, à assimiler toute interrogation et toute critique relatives à ce processus à des positions au mieux conservatrices, au pire enta-

---

34. Marcel GAUCHET, « Sous l'amour de la nature, la haine des hommes, *op. cit.*

35. François GUÉRY, « Dictature de l'industrie ? », in *Sretie info*, n° 29, mai 1989.

36. François GUÉRY, *ibid.* « Le cas des campagnes françaises considérées comme des jardins par des citadins qui lisent trop de romans, est symptomatique d'une telle crise de croissance, que la démagogie régnante dans l'opinion transforme sans trop se fatiguer en "crise de l'industrialisme". »

chées de complaisance coupable à l'égard de la philosophie de Martin Heidegger[37]. Ainsi, toute réserve à l'égard de la modernité, *a fortiori* lorsqu'elle semblera procéder d'évocations bucoliques de la campagne et des paysans, ne pourra être le fait que de représentants de l'antimodernisme à moins que, ce qui constitue en réalité le cœur du problème, elles ne soient attribuées qu'aux nostalgiques pervers ou inconscients des sociétés de corps de triste mémoire.

Quoi qu'il en soit, tout circule de plus en plus, tout tourne et lévite, tout est progressivement mis sur orbite, arraché à la terre et à la Terre. Tous ces objets, cependant, végétaux, animaux, hommes, satellites, bombes, mais aussi capitaux et dettes flottants, tous ces objets ne tournent-ils pas en rond ? Tel est, en tout cas, le point de vue de Jean Baudrillard qui rappelle en citant Victor Segalen que circuler n'est pas voyager, ou ne signifie plus voyager depuis que nous avons découvert que la Terre était une sphère, « puisque s'éloigner d'un point sur une sphère, c'est déjà commencer à s'en rapprocher[38] ». Qu'y a-t-il, après tout, de tellement prodigieux (et qui cela fascine-t-il ?) dans le fait d'envoyer des végétaux, des animaux et des hommes dans l'espace après les avoir arrachés à

37. « On se gardera (affirme François Guéry) de hurler avec les loups (s'appelleraient-ils même Heidegger et consorts) et d'instruire le sempiternel et fastidieux procès de la technique, injustement inculpée de tous les maux de la modernité. » Alain ROGER, « Maîtres et Protecteurs de la nature », in *Sretie info*, *op. cit.*

38. Jean BAUDRILLARD, « La Transparence du mal », *op. cit.*

la terre pour les empiler dans des bâtiments d'élevage et des immeubles de grands ensembles dont l'esthétique et même la fonctionnalité sont pour le moins discutables ? Il convient de s'y arrêter.

Premier penseur, vraisemblablement, à avoir pressenti l'importance de ce qui pourrait se jouer au cœur de ce processus, Hannah Arendt avait insisté, dans un ouvrage rédigé en 1958, sur le fait que, depuis l'envoi du premier vaisseau spatial (le *Spoutnik*) dans l'espace par les Soviétiques, l'homme n'était plus rivé à la Terre. Commentant cet événement, elle écrivait : « S'il s'avérait que le savoir (au sens moderne de savoir-faire) et la pensée se sont séparés pour de bon, nous serions bien alors les jouets et les esclaves de nos connaissances pratiques, créatures écervelées à la merci de tous les engins techniquement possibles, si meurtriers soient-ils [39]. » Il se pourrait bien que cette

---

39. Hannah ARENDT, *Condition de l'homme moderne*, *op. cit.* On sait qu'Hannah Arendt a été l'élève de Martin Heidegger qui avait écrit la même année, en 1958 : « C'est cette énigme dont nous ne connaissons pas encore aujourd'hui le véritable nom : c'est que la nature techniquement maîtrisable de la science et la nature naturelle du séjour humain, à la fois habituel et historiquement déterminé, prennent leurs distances comme deux domaines étrangers et s'éloignent l'un de l'autre à une vitesse toujours plus folle. » Martin HEIDEGGER, « Hebel », in *Questions III*, Gallimard, Paris, 1966. Un autre philosophe, Michel Haar, a repris cette thèse récemment : « Nous n'habitons pas encore l'espace abstrait et le temps distendu (sont-ils habitables) que connaissent les tristes "voyageurs" des vaisseaux spatiaux. Pourtant, une technostructure mondialisée, régie par l'informatique, les médias, la consommation standardisée a déjà projeté nos représentations dans un espace neutre et indifférent. C'est pourquoi il se creuse un abîme entre l'image du monde que fournit une telle culture et l'expérience de la "terre" ou de la nature naturelle. » Michel HAAR, *Le Chant de la terre*, Éd. de l'Herne, Paris, 1985.

séparation ait effectivement eu lieu, et Tchernobyl en constituerait alors d'autant plus la figure emblématique que les milliers de tonnes de béton déversées sur le réacteur n'ont pas, on le sait aujourd'hui, suffi à créer le sarcophage étanche qui devait protéger les populations riveraines des émissions de radioactivité. Il se pourrait bien, également, ainsi que l'a écrit récemment Alfred Sauvy, que cette colossale entreprise d'arrachement des hommes à la terre et de conquête de l'espace n'ait, pour le moment au moins, abouti qu'à une chose, le développement du mouvement écologique contemporain[40].

Pour séduisante qu'elle soit, cette hypothèse selon laquelle le mouvement écologique trouverait son origine dans une pulsion réactive et hostile au développement incontrôlé de la science et de la technique n'en demeure pas moins fondamentalement réductrice pour au moins deux raisons essentielles. La première tient à ce que, comme nous avons essayé de le montrer, il n'existe pas *un* mouvement, mais une nébuleuse écologique. On ne peut, en effet, sauf à emboîter le pas à un réductionnisme dont nous allons mesurer les effets, comparer un gestionnaire de la technocratie verte

40. « C'est la marche sur la Lune qui est à l'origine du mouvement écologique contemporain. Après le lancement du premier *Spoutnik*, en 1958, a commencé le rêve des grandes conquêtes : de même que la découverte de l'Amérique, en 1492, a ouvert les portes de l'Eldorado, de même aujourd'hui, la conquête de l'espace a fait miroiter l'accès à des richesses illimitées. » Alfred SAUVY, préface à *L'État de la planète 1990*, *op. cit.*

à un représentant de l'écologie « scientifique » et fondamentaliste, ou encore un adepte du « Nouvel Âge » à un militant de l'écologie politique. La seconde raison, à nos yeux la plus essentielle, réside dans le fait qu'une telle hypothèse tend à présenter la sensibilité écologique comme le produit d'une attitude d'abord protestataire et, par conséquent, idéologique, lui ôtant ou masquant du même coup, en ne distinguant pas ses différentes composantes, deux de ses dimensions fondamentales : ce qu'elle recèle d'interrogation proprement politique sur le fonctionnement et sur le devenir des sociétés démocratiques ou qualifiées de telles et sa capacité potentielle à contrecarrer la dégénérescence en aspirations totalitaires aussi bien des logiques scientiste et techniciste que des frustrations accumulées par les laissés-pour-compte de la croissance et du « progrès ». C'est qu'en effet, comme nous allons le voir, l'arrachement et l'attachement à la terre, quelles que soient leurs modalités d'expression, constituent les deux figures symétriques ou antithétiques du rapport à l'espace et, par conséquent, des relations entre les individus et leur environnement.

Espace et pouvoir : architecture et rapport à la terre

Réfléchir, dans une perspective anthropologique, à la question de l'arrachement et de l'attachement à la terre implique, nous l'avons déjà souligné, de se demander si toute forme de déracinement s'accompagne nécessairement et mécaniquement d'un surcroît de liberté. Cette question, on le sait, est au cœur même de la tradition philosophique.

Ainsi, avec l'accomplissement du « miracle » grec et l'avènement de l'esprit de la Renaissance, un nouveau type d'espace émergera, « abstrait et continu, homogène et vide, à prétention universelle[41] ». Lors de ce passage du « monde clos à l'univers infini », une révolution décisive s'accomplit, au cours de laquelle une mutation radicale s'opère dans le rapport qu'entretenaient les hommes à l'espace et à la terre. Une nouvelle rationalité, une autre conception de l'espace et du temps s'affirment, géométriques et mathématiques, dont on n'a pas, aujourd'hui encore, pris la mesure de tous les effets. Cette rationalité, écrit Paul Blanquart, « en neutralisant les qualités sensibles de l'espace, en le mettant à plat à la façon d'un géomètre, l'a livré à des forces extrinsèques : le pouvoir royal ou étatique, puis le capital. On sait ce qui résulte de l'instrumentalisation des territoires par les stratégies du politique et de l'économique érigés en équivalents généraux : écrasement des

---

41. Paul BLANQUART, Avant-propos à *Anthropologie de l'espace*, sous la direction de Françoise P. LEVY et Marion SEGAUD, Centre de création industrielle et Centre Georges-Pompidou, Paris, 1983. Sur cette question, cf. également Alexandre KOYRE, *Du monde clos à l'univers infini*, Idées, Gallimard, Paris, 1973, et Jean-Louis DEOTTE, « L'Institution picturale du politique », in *Portrait autoportrait*, Éd. Osiris, Paris, 1987.

vitalités intérieures, quadrillages disciplinaires, *zonings* fonctionnalistes, sérialisation des individus, hémorragie des identités, insignifiance des lieux et des produits qui en deviennent interchangeables, imposition universelle des mêmes modèles. Bref, un grand nombre des maux dont nous souffrons [42] ».

Nous savons ainsi, les enquêtes ethnographiques, les travaux des historiens et des sociologues du rural ou de l'urbain le montrent à l'envi, que l'arrachement à la terre, le déracinement se sont payés et se paient encore, pour ceux qui le vivent dans la contrainte et l'humiliation, d'un prix exorbitant [43]. Nous savons également que la volonté de changer l'espace, architecturalement et dans le cadre des politiques d'aménagement du territoire, procède de l'émergence de nouvelles visions du monde. C'est ce dont témoigne, par exemple, un récent article de Jacques Dewitte qui rend compte, par la présentation d'un projet de maison-sphère et de maison-organisme, de la traduction architecturale des formes extrêmes dans lesquelles peuvent

---

42. Paul BLANQUART, *Anthropologie de l'espace, op. cit.*

43. « A regarder un HLM marocain, on se croirait dans la banlieue parisienne. Il s'agit du même chaos d'êtres et de choses ; l'escalier à lui seul en apporte la preuve : mêmes murs pollués à hauteur d'homme, même odeur humaine caractéristique des univers concentrationnaires ; et des boîtes aux lettres cassées, béantes, sans nom, semblables à celles que nous avons vues tant de fois chez les "relogés" français, nous autorisent à émettre l'hypothèse d'un symptôme de perte d'identité. » Colette PETONNET, « Espace, distance et dimension dans une société musulmane », cité in *Anthropologie de l'espace, op. cit.*

s'incarner l'arrachement et l'attachement à la terre[44].

Nous laisserons de côté ici les analyses et les commentaires divergents auxquels ont donné lieu ces projets, pour nous borner à leur description et à la reprise des conclusions de Jacques Dewitte relatives à sa volonté de « nourrir une pensée contemporaine de l'habitation ». Le premier projet, dû à l'architecte Claude-Nicolas Ledoux, nous intéresse d'autant plus qu'il s'agissait d'une maison-sphère et qu'elle était destinée à abriter des gardes agricoles, population enracinée s'il en est. A propos de cette sphère, conçue en 1770[45], et qui devait être posée sur le sol auquel elle ne serait reliée que par quelques passerelles, Hans Sedelmayr écrivait : « Semblable à un vaisseau spatial qui aurait atterri et, ayant déployé ses passerelles, reposerait sur la surface terrestre qu'il ne touche qu'en un point, elle apparaît dans le projet fantastique d'une Maison des gardes agricoles dû à Claude-Nicolas Ledoux[46]. »

Que l'on soit ou non sensible à l'esthétique d'un tel projet, et que l'on en attribue l'origine à l'esprit de la Révolution française ou à la révolution copernicienne, un certain nombre de ses

44. Jacques DEWITTE, « Mobilité et enracinement. La maison-sphère et la maison-organisme comme figures emblématiques de la modernité », in *Lumières et Romantisme*, Annales de l'Institut de philosophie de Bruxelles, Vrin, Paris, 1989.

45. Claude-Nicolas Ledoux, architecte, 1736-1806.

46. Hans SEDELMAYR, cité par Jacques DEWITTE, « Mobilité et enracinement... », *op. cit.*

caractéristiques demeurent. Ainsi, ce qui s'y exprime, selon Jacques Dewitte, c'est « la négation totale du sol terrestre et du rapport à la terre ». C'est que l'architecture s'y conçoit sans sol *(bodenlos)*, qu'elle aspire à se délocaliser, à s'arracher à la terre. On retrouvera, d'ailleurs, la marque et l'approfondissement de cette volonté aussi bien dans les maisons sur pilotis de Le Corbusier que dans le projet de construction, par les architectes futuristes des années vingt, d'un Institut Lénine « qui ne touche même plus la terre en un point mais flotte tout simplement dans l'air[47] ». Ainsi, ce que traduisent ces projets architecturaux, c'est le désir de s'émanciper, de se libérer de tout rapport au lieu, au site et au paysage, au sol natal et à la tradition. Manifestation d'une aspiration à la mobilité totale ou absolue, ce n'est même plus, pour Dewitte, le désir du voyage qu'évoque la maison-sphère, c'est « l'existence en suspens dans un espace homogène, où tous les lieux se valent[48] ».

Expression métaphorique d'une conception particulière du « foyer », la maison-organisme constitue le symétrique architectural absolu de la maison-sphère. Principal théoricien du mouve-

47. Et SEDELMAYR de citer le commentaire d'un architecte : « Une de nos idées pour l'avenir est la victoire sur le fondement, sur le lien à la terre... La victoire sur le fondement va plus loin encore et exige la victoire sur la pesanteur en tant que telle. Elle exige l'architecture flottant dans l'espace, l'architecture physique-dynamique. » Cité par Jacques DEWITTE, « Mobilité et enracinement... », *op. cit.*

48. Jacques DEWITTE, « Mobilité et enracinement... », *op. cit.*

ment l'Art nouveau *(Jugendstil)* qui prend naissance au tournant du XXe siècle, l'architecte belge Henry Van de Velde, développe un point de vue « végétaliste » de l'habitation et de l'habiter. Là où le projet de maison-sphère pouvait exprimer la volonté de détacher « les parties du tout », le désir d'autonomie par rapport à l'ordre social prérévolutionnaire, la conception de l'habitation de Van de Velde aspire à « l'autarcie esthétique », à la réunification des formes et des projets et au réenracinement total de l'édifice, des meubles qu'il contient et de son occupant : « Au milieu du mouvement vertigineux de la société industrielle, de la circulation sans fin des marchandises et des hommes, on rêvait d'un enracinement ultime ; à la mobilité régnante, on opposait un idéal de fixité et de sédentarité [49]. » Les armoires seraient encastrées, les sièges seraient vissés au sol et les tableaux intégrés aux murs. Quant à l'homme, comparable à une plante, il serait une fois pour toutes fixé à son lieu.

Nous aurions pu rendre compte des différents points de vue au nom desquels ont été effectuées les critiques des projets de maison-sphère et de maison-organisme. Ainsi les réserves manifestées à l'égard du projet de maison-sphère, de sa suppression du sol, n'appelaient-elles pas à la valorisation du sang et du sol *(Blut und Boden)* national-socialiste, mais prenaient pour référence

49. Jacques DEWITTE, « Mobilité et enracinement... », *op. cit.*

un universalisme ni nationaliste ni raciste. De la même manière, la défiance par rapport à la « végétalisation » d'un homme prisonnier d'une habitation exprimant l'immobilisation absolue ne se faisait-elle pas au nom d'une idéalisation du déracinement total.

Une question essentielle formulée par Jacques Dewitte se pose à nouveau avec la plus grande acuité : peut-on considérer que l'idéal d'autonomie implique nécessairement, dans son expression historique, l'arrachement total des individus par rapport au sol et à la terre ?

Que choisir ?

Cet arrachement peut-il être sans limites, sans bornes, et ne risque-t-il pas, emporté par l'excès et la démesure, de donner naissance à de nouvelles formes de tyrannie ? Enfin, si l'on considère avec Jacques Dewitte que cet idéal d'autonomie est lui aussi, aujourd'hui, le produit d'une tradition, peut-on envisager qu'il soit compatible avec d'autres legs de la tradition ? Car, on en mesure à nouveau pleinement les effets, à ne faire l'apologie que de la mobilité absolue, on finit par engendrer chez ceux pour lesquels elle est porteuse de marginalisation et d'exclusion, une volonté farouche de réenracinement et d'éviction de l'autre nourrie par la haine et le ressentiment.

Peut-on encore concevoir, néanmoins, que se

dessinent les contours d'un autre projet social ? Mais lequel, et qui arbitrera alors entre ceux qui n'aspirent qu'au droit d'être les plus forts et ceux qui revendiquent le droit à la dignité pour tous[50] ? Il est de plus incontestable, comme le souligne Marcel Gauchet, que « le désarroi est immense sous l'immobilisme apeuré de l'opinion[51] ». Ne sommes-nous, pour autant, en présence que de manifestations et d'agitations négatives : désertion civique (on ne peut plus palpable en effet), réactivité, à la marge, de « démagogies anciennes » (néo-nationalisme xénophobe) et repli sur une « piètre utopie bucolique[52] » ?

Plus précisément, cet arrachement à la terre (et à la Terre) des végétaux, des animaux et des hommes, leur production en série, l'uniformisation générale, enfin, des comportements ne devraient-ils poser question qu'aux seuls nostalgiques des sociétés traditionnelles et aux tenants d'un ruralisme conservateur ? C'est ce que donne à penser malgré toutes les nuances dont elle témoigne, une série d'articles d'un récent numéro de la revue *Espaces-Temps* consacré aux diverses résurgences du désir d'enracinement. On comprendra, naturellement, la prudence et la vigilance historiques manifestées par les différents auteurs tant il est vrai que, depuis les années trente, l'exaltation de

---

50. Jacques ATTALI, *Lignes d'horizon, op. cit.*
51. Marcel GAUCHET, « Pacification démocratique, désertion civique », in *Le Débat, op. cit.*
52. ID., *ibid.*

la terre et des racines a le plus souvent été associée à la barbarie et au nazisme[53]. Et il est parfaitement légitime, comme le fait le philosophe Jacques Hoarau à la suite de Theodor W. Adorno, de procéder à une interrogation critique du « jargon de l'authenticité » qui serait au cœur de l'œuvre de Martin Heidegger[54]. Il ne l'est pas moins de rappeler, comme l'a fait Jean-François Mattéi, que ce n'est pas parce que « tous les Nazis sont partisans de l'enracinement » que « tous les partisans de l'enracinement sont nazis[55] ».

---

53. *Espaces-Temps*, « Racines, derniers temps. Les territoires de l'identité », revue trimestrielle publiée avec le concours du CNL, n° 42, 1989.
54. Jacques HOARAU, « Éléments de généalogie négative », in *Espaces-Temps, op. cit.*, P. Theodor W. ADORNO, *Le Jargon de l'authenticité*, Payot, Paris, 1989.
55. Jean-François MATTÉI, *L'Ordre du monde* (Platon, Nietzsche, Heidegger), PUF, Paris, 1989.

7

L'attachement à la terre

La croyance au progrès, même tempérée par une critique souvent radicale des ravages causés par l'industrialisation massive et quelquefois sauvage des sociétés occidentales, a pour soubassement essentiel la référence à une série d'oppositions. Ainsi Alain Touraine définit-il la sociologie comme l'idéologie de la modernité, comme la discipline qui, dans sa genèse et son épanouissement mêmes, a opéré la partition entre la tradition et la modernité, la communauté et la société, les croyances et la raison, entre les nostalgiques de l'archaïcité et les agents du progrès [1]. La communauté, figure supposée des particularismes et des singularités, de la clôture et du repli, de l'enracinement et de l'anti-universalisme, est ainsi pro-

1. Alain TOURAINE, *Le Retour de l'acteur (Mouvements 3)*, Fayard, Paris, 1984.

gressivement apparue comme le mode d'organisation des sociétés primitives, paysannes et irrationnelles. Historiquement, la Révolution française nourrie par l'héritage des Lumières constitue pour beaucoup le repère, l'événement fondateur, au moins symboliquement, du passage du monde de la tradition à celui de la modernité. A partir de cette date, et plus encore une fois accomplie la révolution industrielle, toute réserve à l'égard de l'idée de progrès, toute critique de l'individualisme et de l'utilitarisme économiques tendront à être assimilées à des valeurs aristocratiques et réactionnaires ou à une attitude nostalgique et, plus près de nous, à une idéologie néo-pétainiste, néo-fasciste ou néo-nazie. Majoritairement considérés comme peu enclins au changement, les paysans seront appelés à incarner plus que quiconque, surtout après la Seconde Guerre mondiale, la routine, le conservatisme économique et social, l'attachement au sol et l'obscurantisme et, dans l'ordre politique, les ennemis de la démocratie et de la liberté [2].

2. De ce point de vue Michel Debatisse avait choisi un titre tout à fait judicieux en qualifiant de *silencieuse* la révolution accomplie par les paysans à partir du début des années cinquante. C'est probablement pour cette même raison que certains n'ont pu repérer que récemment l'émergence de quelques spécimens d'« entrepreneur[s] ès agriculture » ! Michel DEBATISSE, *La Révolution silencieuse*, Calmann-Lévy, Paris, 1963.

L'écologie, les paysans et l'enracinement

Nous avons déjà évoqué les raisons pour lesquelles les écologistes ont été, plus que d'autres, dans les années soixante-dix, progressivement affublés de toutes ces valeurs négatives immédiatement après les paysans. Leur critique de l'agriculture industrielle, du recours massif aux énergies fossiles, de la société de consommation et, plus généralement, du productivisme, leur défense des cultures locales, des « pays » et des paysages, des activités « autonomes », de l'entraide et des relations de voisinage, leur intérêt, enfin, pour les communautés post-soixante-huitardes les ont conduits à passer pour les représentants d'un néoruralisme nostalgique et réactionnaire. Leur opposition à une hypothétique et supposée salvatrice « croissance zéro », qu'ils considéraient majoritairement dès les années soixante-dix comme effectivement réactionnaire, à une société sans changement, atone et nécessairement autoritaire et coercitive, ou à la tentation autarcique n'y a apparemment rien changé[3]. Serait-ce donc que toute évocation du passé, tout rapport à la terre et à la nature, sauf à l'inscrire, en tant que supplément d'âme, dans une logique de consommation muséale ou régénératrice forgée par une adhésion à des valeurs hédonistes, ne pourraient être qu'irrecevables aujourd'hui ?

---

3. Dominique SIMONNET, *L'Écologisme, op. cit.*

A de rares exceptions près, en effet, tous les écrits critiques du besoin d'appartenance (à une famille, un groupe, une association ou une collectivité déterminée) le convertissent quasi mécaniquement en désir d'enracinement ou de réenracinement nécessairement suspect. Partageant un certain nombre de caractéristiques et de présupposés, ces écrits fonctionnent toujours à l'opposition rural-urbain, par quoi il faut entendre tradition et modernité, immobilisme et obscurantisme contre mobilité et lumières. Au fond, le lien à la terre ne peut être que totalitaire. Ainsi, de même que les paysans sont présentés de manière dérisoire et grotesque par Balzac qui n'aperçoit dans leur pratique du vol que la naissance du communisme[4], Guy Scarpetta écrit qu'un quelconque intérêt pour la campagne ne peut prendre appui que sur une esthétisation du nazisme[5]. Ainsi, lorsque Jacques Bouveresse tente d'expliquer, en se référant malheureusement à Martin Heidegger, qu'il n'existe aucun lien mécanique ou nécessaire entre ruralisme et nazisme, quand il fait allusion à « la condition peu enviable de l'homme des grandes villes, au déra-

4. « L'ambition et le réel mérite de Balzac, par-delà ses conceptions politiques, étaient une volonté de saisir un ensemble, une totalité. Mais, si l'on ose dire, trop peu républicain, il s'est aveuglé lui-même nous procurant au moins un enseignement : la *terre* est un sujet difficile. » Alexis PHILONENKO, « La terre », in *L'Archipel de la conscience européenne*, Grasset, Paris, 1990.

5. Guy SCARPETTA, *Éloge du cosmopolitisme*, Grasset, Paris, 1987, cité par Jacques HOARAU, *op. cit.*

cinement de l'individu contemporain, et au dépérissement des traditions », il se voit accusé « d'hostilité moderne au modernisme » par Jacques Hoarau[6]. Quant à Alain Badiou, pourtant peu suspect d'antiheideggerianisme primaire, il ne prise pas du tout les références aux temps d'avant : « Le chemin forestier, l'œil clair du paysan, la dévastation de la terre, l'enracinement dans le site naturel, l'éclosion de la rose, tout ce *pathos*, depuis Vigny (« sur ce taureau de fer qui fume et qui beugle, l'homme a monté trop tôt ») jusqu'à nos publicistes en passant par Georges Duhamel et Giono, n'est tissé que de nostalgie réactionnaire[7] ». Peut-être pour lui, comme pour Theodor W. Adorno, est-il essentiel de ne pas fonder la critique, par ailleurs légitime, de l'aliénation et de la réification urbaine et capitaliste du sujet moderne sur une « quête hallucinée du sol » qui ne pourrait renvoyer qu'à une dénégation de la réalité sociale. Pour Adorno, mais ceci vaut également pour Deléage et Hoarau, le capitalisme se développe fondamentalement par l'exaltation de la mobilité sociale et spirituelle et par une lutte acharnée contre ce qui s'oppose radicalement à son déploiement : l'enracinement et la sédentarité.

L'attachement au sol et à la terre, comparé à cette formidable puissance, n'apparaît ainsi que comme résidu, archaïsme, ou manifestations

6. Jacques BOUVERESSE, cité par Jacques HOARAU, *op. cit.*
7. Alain BADIOU, *Manifeste pour la philosophie*, Le Seuil, Paris, 1989.

potentiellement dangereuses d'un rapport non liquidé à un passé idéalisé. A considérer, ce qui est aujourd'hui largement admis, que mobilité, marché généralisé et démocratie cheminent du même pas, on devrait logiquement admettre qu'on ne peut critiquer la société de marché (on ne dit plus en effet capitaliste) sans, du même coup, critiquer la démocratie. Il restera néanmoins à penser, à l'échelle de la planète, les modalités d'exportation possibles de ce modèle de développement[8].

Les paysans, la terre et la modernité

Une autre des caractéristiques des écrits critiques du besoin d'appartenance et du désir d'enracinement tient à leur mutisme total quant à l'histoire des paysanneries, de leur émancipation par rapport à certaines valeurs de la tradition et de la nature des relations qu'elles entretiennent avec les autres et avec la terre. Pour bon nombre d'auteurs, en effet, les paysanneries, mais aussi la plupart des écologistes attentifs au devenir de

8. « Pendant ce temps, la *périphérie* grondera. Aux yeux des milliards d'hommes en Afrique, en Amérique latine, en Inde et en Chine, rien n'aura été changé à leur misère. Les cours des matières premières continueront de s'effondrer... Dans un désespoir révolté, ils assisteront au spectacle de la richesse des autres. Beaucoup tenteront de quitter ces lieux de misère pour aller vivre et travailler dans les espaces dominants. Ceux-ci se barricaderont, réserves closes, assiégées, aveugles au sort du reste du monde. » Jacques ATTALI, *Lignes d'horizon, op. cit.*

l'agriculture et du monde rural, sont des êtres du passé, de la communauté organique, de la clôture et, plus fondamentalement, de la race, des chefs, des nationalismes et des patries. Serait-ce donc que, comme l'a écrit le sociologue Pierre Bourdieu, « entre tous les groupes dominés, la classe paysanne, sans doute parce qu'elle ne s'est jamais donné ou qu'on ne lui a jamais donné le contre-discours capable de la constituer en sujet propre de sa propre vérité, est l'exemple de la classe-objet, contrainte de former sa propre subjectivité à partir de son objectivation (et très proche en cela des victimes du racisme)[9] » ? Nous verrons que les choses ne sont pas aussi simples. Ce qui reste vrai néanmoins, c'est que, de Balzac à Scarpetta, de nombreux écrits censés appréhender la question paysanne ont pour soubassement la référence négative à Barrès, Maurras et Pétain, les paysans n'y apparaissant qu'en toile de fond et de manière caricaturale.

Ces derniers constituent, en effet, l'exemple le plus singulier et en même temps permanent d'êtres presque toujours pris dans le discours des autres. Aujourd'hui plus que jamais, leur statut apparaît d'autant plus ambigu que les sociétés modernes n'ont jamais été aussi ambivalentes à leur égard. Ils disparaissent peu à peu, de plus en plus souvent après avoir connu des difficultés dra-

9. Pierre BOURDIEU, « Une classe objet », in *Actes de la recherche en sciences sociales*, n° 17-18, 1977.

matiques[10], en même temps que s'accroissent les déséquilibres écologiques et les menaces de destruction de la planète. D'un côté, on est prêt à accepter cette disparition comme constituant la sempiternelle rançon du progrès et à mesurer, sous le règne sans partage de l'utilitarisme économique, le degré de développement des sociétés à l'aune du faible nombre de leurs paysans. De l'autre, et ceci est particulièrement vrai pour les urbains contraints et de nombreux écologistes, on continue à envier, souvent de façon confuse et idéalisée, cet être indépendant et libre qui vit au contact de la nature. Ainsi l'image du paysan oscille-t-elle, dans nos sociétés technologiques, entre la figure d'un être fruste, borné et égoïste et celle, enjolivée par l'histoire et quelque peu nostalgique, d'un sage vivant sainement et entouré des siens dans des villages où les relations sociales demeureraient cordiales et authentiques.

Quoi qu'il en soit, pour les esprits modernes et les entrepreneurs, le paysan demeure l'être qui se baisse encore vers le sol, la terre, et qui entretient encore un rapport non médiatisé à la matière, à l'organique[11]. Plus fondamentalement, il incarne

---

10. Pierre ALPHANDÉRY, Pierre BITOUN, Yves DUPONT, « Le Malaise paysan » (chapitre 3), in *Les Champs du départ, une France rurale sans paysans ? op. cit.*

11. « Toute bête, toute plante à consistance organique sera vite repérée. Plutôt que la laisser pour ce qu'elle est, plutôt que d'y ressentir une certaine sensualité, il faut l'empêcher d'ouvrir en nous le placard cadenassé où est enfouie la honte d'être un animal fait d'organes, avec ses sueurs et ses émanations. » François TERRASSON, *La Peur de la nature, op. cit.*

plus que quiconque, voire seul, le type humain qui devait ou devrait être éliminé ou converti pour que puissent advenir et s'affirmer les sociétés modernes, marchandes et démocratiques. Cette thèse a, par exemple, été développée tout à fait explicitement par l'historien Barrington Moore dans *Les Origines sociales de la dictature et de la démocratie*[12]. Dans cet ouvrage, Moore procède à l'analyse des trois modes distincts d'apparition de la société moderne qui ont pu, selon lui, emprunter la voie bourgeoise, fasciste ou communiste. Ainsi la voie bourgeoise aboutit-elle au développement du capitalisme et de la démocratie parlementaire en opérant une rupture révolutionnaire avec le passé ; la voie fasciste, au contraire, tire son originalité de ce qu'elle fait l'économie d'un soulèvement révolutionnaire ; la voie communiste, enfin, procède d'une révolution paysanne. Il peut paraître cavalier de présenter cette thèse de manière aussi abrupte et succincte. Cependant, ce qui est essentiel pour notre propos, c'est l'affirmation centrale de Moore selon laquelle le développement de l'agriculture commerciale constitue une condition fondamentale de la démocratie et du marché : *« On serait presque tenté de dire que l'étouffement de l'activité agricole est une condition préalable du succès de la démocratie. Il fallait briser ou transformer l'hégémonie politique de l'aristocratie foncière ; il fallait transformer le*

12. Barrington MOORE, *Les Origines sociales de la dictature et de la démocratie*, Maspero/La Découverte, Paris, 1983.

paysan qui cultive pour se nourrir et nourrir son seigneur en un producteur qui écoule ses denrées sur le marché[13]. » Dans le même temps, il était nécessaire qu'existât une classe bourgeoise, déjà puissante et indépendante : « Pas de bourgeois, pas de démocratie », écrivait Moore[14]. Tout est dit : pour que les paysans accèdent à l'humanité et à la liberté, débarrassés qu'ils seront alors de leurs limites (la production à des fins de consommation) et de leur aliénation (leur soumission à l'aristocratie foncière), il fallait qu'apparaissent la bourgeoisie et le marché, moteurs essentiels de l'avènement de la démocratie moderne. Une fraction de ces paysans, bien entendu, peu ou non éclairés, demeurera incapable d'accéder à ces « règles (du nouvel) univers de liberté[15] » qui se constitue alors. Prisonniers d'une conception routinière et irrationnelle de l'existence, ils s'entêteront, même après la Seconde Guerre mondiale, dans leur refus de la modernité et se feront tirer l'oreille pour participer au progrès de l'agriculture commerciale. Fort heureusement, une incitation économique vigoureuse relayée par une politique agricole volontariste parviendra, dans l'après-guerre, à convaincre les moins obtus d'entre eux d'entrer de plain-pied dans la modernité[16].

---

13. Barrington MOORE, *Les Origines sociales de la dictature...*, *op. cit.* C'est nous qui soulignons.
14. ID., *ibid.*
15. Marcel GAUCHET, *Pleurer les paysans, op. cit.*
16. « A partir du moment où des facteurs économiques incitent le paysan à produire plus que pour ses besoins ou même à produire exclusivement pour la vente... il doit sortir de sa routine et il en sort en effet. »

A l'opposé de ce qui se passa en France où, pour l'essentiel, ces conditions historiques furent réunies et permirent, par la révolution, l'émergence de la démocratie moderne, l'Allemagne et le Japon, écrit Moore, tentèrent de résoudre un problème insoluble : moderniser le pays sans en changer les structures sociales, « sans exercer de répression sur ceux qui travaillaient le sol ». Dès lors, la transformation effective de l'économie, son évolution vers la forme capitaliste ne pouvaient que susciter la réaction et amener les petits paysans à se sentir abusés et exploités par les bourgeois et les boutiquiers des villes. Valorisés et idéalisés par les nazis, présentés comme « des hommes libres vivant sur une terre libre [17] », les paysans constituèrent le support idéal d'une vision romantique et conservatrice de l'être attaché à la terre, mais pas à une terre qui se réduirait à un seul moyen d'existence, à une terre qui aurait constitué le fondement du *Heimat*, le pays natal, le chez-soi, l'endroit où l'on habite, la patrie. De l'époque déchaînée qui devait suivre, du surgissement de l'innommable, résultera l'équation suivante : paysan = tradition = attachement à la terre et à la nature = communauté organique = barbarie.

Daniel FAUCHER, « Routine et innovation paysannes », in *Journal de psychopathologie normale et pathologique*, n° 1, 1948.

17. Barrington MOORE, *Les Origines sociales de la dictature...*, *op. cit.*

De la liberté

Tout donne à penser, dans la critique virulente qu'il fait de l'écologie et des écologistes, que Marcel Gauchet s'est aujourd'hui rallié à cette interprétation. C'est pour cette raison qu'il nous paraît essentiel de revenir sur une présentation au *Discours de la servitude volontaire* d'Étienne de La Boétie qu'il avait rédigée en 1976, en collaboration avec Miguel Abensour [18]. On ne peut comprendre, écrivaient-ils alors, ce qui est au cœur de l'interrogation et de l'œuvre de La Boétie, sans se référer à un événement essentiel : la révolte des paysans de Guyenne contre la gabelle en 1548. Avec et par cette révolte quelque chose s'inaugurait, les paysans rompaient avec les mouvements de protestation de type antiseigneurial pour s'insurger véritablement contre l'État : « Il faut savoir reconnaître dans cette défense de la tradition *au péril de sa vie* une aspiration vraie à la liberté. Il faut savoir mesurer la force incomparable de dévoilement que véhicule cette insurrection rétrograde à l'endroit de l'État, de sa vraie nature, de la puissance d'oppression qu'il recèle [19]. » Certes et fondamentalement, c'était contre le surgissement du *nouveau* et vers le passé, vers la

18. Miguel ABENSOUR, Marcel GAUCHET, *Les Leçons de la servitude et leur destin*, présentation au *Discours de la servitude volontaire* d'Étienne DE LA BOÉTIE, coll. « Critique de la politique », Payot, Paris, 1976.
19. Miguel ABENSOUR, Marcel GAUCHET, *Les Leçons de la servitude...*, *op. cit.*

défense de l'ancien monde qu'était orientée cette révolte. Cependant, même s'il est nécessaire de les citer assez longuement, il nous faut insister sur le sens qu'attribuaient alors Miguel Abensour et Marcel Gauchet à cette insurrection : « Conservatrice au sens le plus profond, la révolte paysanne l'est assurément. Mais c'est dans la radicalité même de son conservatisme qu'il faut lire ce qu'elle véhicule d'aspiration à la liberté. Que veut-elle conserver ? L'espace *libre*, la sphère *autonome* de la communauté familiale et villageoise, que de façon remarquablement universelle les anciennes formes de domination étatique ont toujours laissé subsister et que seul l'État occidental moderne s'est employé à détruire[20]. » Ce qui distingue profondément en effet l'État moderne des bureaucraties de type impérial dont la domination n'impliquait pas nécessairement la destruction des sociétés et des communautés qu'elles contrôlaient et sur lesquelles elles opéraient des prélèvements, c'est sa volonté de tout transformer, de tout réorganiser[21].

« Réglementer, codifier, redéfinir, changer, moderniser. ''Civiliser'', diront les grands commis

20. Miguel ABENSOUR, Marcel GAUCHET, *op. cit.* Comme on le constate aujourd'hui et comme on le percevra encore davantage demain, « les innovations, les changements sont lourds de malheurs pour les pauvres gens ».

21. Sur cette question, cf. Alain CAILLÉ, « Socialité primaire et Socialité secondaire » (à propos d'un ouvrage de H. Le Bras et E. Todd), chapitre XI, in *Splendeurs et misères des sciences sociales*, Librairie Droz, Paris, 1986.

éclairés et les serviteurs zélés[22] », telles sont les ambitions et la dynamique de l'État moderne. Toutefois, l'argumentation développée par Abensour et Gauchet pose question pour plusieurs raisons. D'abord parce qu'ils semblent, au moment où ils écrivent, éprouver quelque sympathie pour cette tentative désespérée des paysans de sauver le « gouvernement de la petite communauté continuant à conjurer au sein d'elle-même par la tradition la différence de ceux qui commandent et de ceux qui obéissent[23] ». Cependant, ils tendent à ne rendre compte de cette farouche obstination qu'en l'expliquant par la haine quasi structurelle des paysans pour l'innovation et l'intrus, même si ce dernier représente un État qu'ils ont décrit comme singulièrement autoritaire. Par ailleurs, il fustigent avec la même vigueur la pensée conservatrice qui se réjouit de cet attachement des paysans au passé, de leur peu d'intérêt pour le progrès et la révolution, et les « chantres de la Raison » dont les dérives fanatiques ont conduit à des massacres inutiles de masses dont la cause était d'emblée perdue et au déferlement totalitaire des chars soviétiques dans les pays de l'Est. Nous ne pouvons évidemment que souscrire à cette dernière assertion. Mais un problème demeure, qu'il nous est impossible de ne pas évoquer. Pourquoi

---

22. Miguel ABENSOUR, Marcel GAUCHET, *Les Leçons de la servitude...*, *op. cit.*
23. ID., *ibid.*

faudrait-il si, au fond, la révolte des paysans de Guyenne ne tirait son sens que de la haine de l'innovation et de l'intrus, s'employer à « sauver sa mémoire[24] » ? Au nom de quels principes devrions-nous nous sentir concernés par cette entreprise à laquelle semblent aspirer Abensour et Gauchet lorsqu'ils écrivent : « L'interrogation systématique, la réévaluation de ce long *refus* de la paysannerie restent pour l'essentiel à entreprendre[25]. »

La corruption du besoin d'appartenance et la montée des nationalismes

L'attachement à la terre mais, plus encore, le mythe de l'enracinement sont, en effet, constitutifs des deux « dérives » nationalistes qu'ont été le Troisième Reich et le régime de Vichy ainsi que l'a encore récemment rappelé Hélène Dupuy[26]. Cependant, le grand mérite de son analyse est de montrer que le thème de l'enracinement n'a pas toujours, historiquement, véhiculé des valeurs réactionnaires. L'arbre de la liberté a, par exem-

24. Miguel ABENSOUR, Marcel GAUCHET, *Les Leçons de la servitude...*, *op. cit.*

25. ID., *ibid.*

26. Hélène DUPUY, « Terroirs et Mémoires, généalogie d'un mythe national », in *Espaces-temps : Racines, derniers temps. Les territoires de l'identité, op. cit.*

ple, pendant la période révolutionnaire, constitué le symbole de l'émancipation populaire : « [...] son éternité et son immobilité se veulent les figures paradoxales du progrès... Son enracinement n'est donc pas le signe d'une continuité, mais d'un commencement... L'enracinement est ici synonyme de régénération : à travers lui la Révolution exprime sa foi en l'avenir, en la force de la nation nouvelle qui naît en ce jour. » Néanmoins, et bien avant que le Maréchal n'exalte et n'encense les paysans et la terre de France, le thème de l'enracinement va acquérir sa charge patriotique, nationaliste et potentiellement restauratrice avec l'œuvre de Michelet et les blessures causées par les guerres de 1870 et de 1914-1918[27]. Ainsi, la défaite, les souffrances et l'humiliation endurées par les Français ne compteront pas pour peu, fût-on dans le pays des Lumières et de la Révolution, dans la transformation du sens et de la portée symboliques du désir d'enracinement. A la conception du sol comme fondement de la liberté, comme vecteur d'une sensibilité universaliste, va succéder un attachement au village, à la « petite patrie[28] ».

---

27. « Michelet percevra trop tard le danger qu'il y a à investir la terre d'une sacralité, sans poser au préalable les bases d'une distinction qui légitime celle-ci, car la défense du sol et son idéalisation peuvent continuer d'être un justificatif sans qu'il s'agisse encore du sol de la liberté. Elle devient alors le support d'une idéologie conservatrice et un prétexte qui encourage tous les refus, toutes les dérives. » Hélène DUPUY, *op. cit.*

28. « L'"enracinement" prend alors le sens bien particulier d'attouchement superstitieux de forces primitives qui irradient le sol, attache-

A partir de cette période, dans le temps même où se cristallisent et s'affirment les nationalismes, l'idéologie patriotique va valoriser l'enracinement par la dépréciation constante de son symétrique absolu, le déracinement. Le nationalisme, écrit Pierre-André Taguieff, se fonde sur le besoin primaire de co-inscription, de co-appartenance, besoin que l'idéologie nationaliste déshistoricise, qu'elle projette « dans les cieux des valeurs éternelles et des essences immuables... L'imaginaire nationaliste est régi par le schème de l'enracinement : individus enracinés dans le sol familial, familles enracinées dans la communauté du peuple, peuple enraciné dans le sol de la maison nationale[29]. » Toute tentative d'élargissement ou d'extension des limites des communautés ou, plus généralement, le passage de la communauté à la société, implique nécessairement la création de nouveaux liens. On put ainsi croire, un moment, que la Révolution française était parvenue à briser la longue chaîne que, selon l'expression d'Alexis de Tocqueville, l'aristocratie avait fait remonter du paysan au roi. Et c'est probablement dans cet esprit que, dans son livre III de *l'Histoire de France*, Michelet se réjouissait de la victoire du général sur le particulier, qu'il exaltait « la haute

---

ment à un passé révolu, soumission à une puissance qui nous dépasse en durée, en étendue, en profondeur. » Helène DUPUY, « Terroirs et Mémoires... », *op. cit.*.

29. Pierre-André TAGUIEFF, « L'Identité nationaliste », in *Lignes, Les Extrêmes droites en France et en Europe*, n° 4, 1988.

et abstraite réalité de la patrie », le triomphe de l'« action sociale et politique » sur l'« esprit local », sur les époques « où l'homme tient encore au sol, y est engagé, semble en faire partie [30] ». Il avait, comme l'histoire des années 1930 à 1945 allait tragiquement le montrer, à la fois raison et tort. Il avait raison de penser que la construction de la patrie (la nation) devait s'appuyer sur la réduction de certaines formes d'esprit local, mais il avait tort de croire que la question de l'enracinement et de l'attachement à la terre ne demeurerait pas au cœur des processus nationalistes et de leurs dérives. Le nationalisme, en effet, rappelle encore Taguieff, peut être défini comme une *corruption idéologique du besoin d'appartenance*, besoin d'inclusion dans une communauté dotée d'une autoreprésentation qu'exprime l'identité collective [31]. A partir de la fin du XIXe siècle et surtout du début des années trente, cette corruption du besoin d'appartenance va progressivement s'affirmer et gagner du terrain pour donner corps à un nationalisme de droite anticosmopolite et anti-internationaliste.

Ainsi, jamais on ne s'adressa autant aux paysans, jamais on ne vanta davantage leurs qualités et leurs mérites que sous le régime de Vichy. Et l'exaltation maréchaliste de la terre, l'esthétisation du paysan creusant sereinement son sillon, œuvrant pour sa famille, soumis de bonne grâce

30. Jules MICHELET, cité par Raoul GIRARDET, *op. cit.*
31. Pierre-André TAGUIEFF, « L'identité nationaliste », *op. cit.*

aux lois de la nature, au cycle des saisons et confiant en la clémence divine, ne comptèrent pas pour peu dans l'image négative que l'on se fait des paysans depuis l'après-guerre. Ces derniers sont en effet au cœur des écrits et des discours du Maréchal[32]. Enracinés, ils fécondent la terre de France et constituent le socle de l'ordre communautaire et hiérarchique qui doit redonner corps et confiance à la patrie et à la nation. Meilleur rempart contre le nomadisme, le cosmopolitisme, la corruption des villes, la toute-puissance de l'argent, le paysan attaché à son terroir, chef d'une famille intégrée à son village, est la preuve que « la nature crée les individus à partir de la société » et non « la société à partir des individus ». C'est de son travail, de son « respect pour le sol nourricier » qu'est sortie « la France, nation laborieuse, économe, attachée à la liberté[33] ».

A ne procéder qu'à une lecture superficielle de ces écrits du maréchal Pétain, on ne saurait, à l'instar de nombreux auteurs, que taxer de rêveries champêtres, bucoliques et paternalistes, le projet et la politique pétainistes. Ils s'inscrivent

---

32. Gérard MILLER, *Les Pousse-au-jouir du maréchal Pétain*, Le Seuil, Paris, 1975.

33. Philippe PÉTAIN, *Actes et Écrits*, Flammarion, 1974, cité par Pierre BITOUN, « L'Équivoque vichyssoise », *Bulletin du MAUSS*, n° 13-14-15-16, 1985. Cf. également Hélène DUPUY, « Terroirs et Mémoires... », *op. cit.* : « L'image de l'enracinement est fortement reprise par un nationalisme rétréci qui conçoit la nation, à l'image de l'individu et de la famille, comme un tout organique, formé par une longue suite de générations et, comme tel, ne pouvant être ni partagé, ni modifié. »

néanmoins dans le droit fil du nationalisme de Barrès et de Maurras. Ce nationalisme-là est anti-républicain, c'est-à-dire anti-individualiste, anti-libéral, mais également « paysanniste » et antisémite. Admirateur de Frédéric Mistral, Barrès décrit ainsi les méfaits du déracinement et l'importance, à ses yeux, de la pensée régionaliste : « Mistral a restauré la langue de son pays et, par là,... il a rendu confiance à une société qui s'était désaffectionnée d'elle-même. Son œuvre est une magnifique action. Il est le sauveteur d'une petite patrie... C'est en utilisant la matière protéique des provinces françaises qu'on obviera à l'abaissement momentané de la production parisienne. Paris devient un casino cosmopolite[34]. » Contre le libéralisme, l'individualisme et la démocratie parlementaire, le nationalisme réactionnaire et contre-révolutionnaire prône le retour aux valeurs communautaires, retour auquel on reprochera au personnalisme d'Emmanuel Mounier d'avoir lui aussi adhéré. Contre ce qu'il qualifie de « froideur » de l'intellect, contre le règne désincarné de la raison critique et analytique, l'atomisation de la société et le cosmopolitisme sans racines, il touche aisément la sensibilité de tous ceux que la modernisation rapide de l'économie, la guerre de 1914-1918 et la crise des années trente a laissés désemparés : petits paysans, petits épargnants et

34. Maurice BARRÈS, cité par Yves CHIRON, in *Barrès et la terre*, Éd. Le Sang de la terre, Paris, 1987.

boutiquiers, chômeurs... « Par nous, écrit Barrès, les déracinés se connaissent comme tels. Et c'est maintenant un problème social de savoir si l'État leur fera les conditions nécessaires pour qu'ils reprennent racine et qu'ils se nourrissent selon leurs affinités[35]. » Et Maurras lui fait, en quelque sorte, écho : « Toutes les sociétés secondaires dont se compose cette société générale, une nation, ont été frappées par le régime nouveau... Les provinces sont abolies, les privilèges des villes anéantis, les communes rurales réduites à l'incapacité à exister, les grandes communes urbaines étroitement assujetties au pouvoir central[36]. » On imagine aisément comment, dans la France contemporaine, ce type de discours peut à nouveau se tenir en terre fertile et les raisons pour lesquelles les oreilles paysannes pourraient se tendre vers ceux qui, ayant abandonné les tenues kaki pour s'appuyer sur un comité de conseillers émoulus de l'Université, leur promettraient de leur rendre leur dignité (cf. encadré).

Besoin d'appartenance et attachement à la terre

On ne saurait, comme nous allons le voir, attribuer au seul courant conservateur et contre-

35. Maurice BARRÈS, *Scènes et Doctrines du nationalisme*, cité par Alain LAURENT, *L'Individu et ses ennemis*, coll. « Pluriel », Hachette, Paris, 1987.
36. Charles MAURRAS, *De la démocratie religieuse*, cité par Alain LAURENT, *op. cit.*

Le malaise paysan

Beaucoup d'agriculteurs le disent avec sincérité : ils ont la sensation d'être la catégorie sociale dont le rapport à la terre est le plus direct et le plus vrai. Plus que d'autres, ils connaissent l'ambiguïté de la nature, à la fois généreuse et dure à ceux dont elle est l'outil de travail.

Ainsi, même s'ils éprouvent une certaine responsabilité dans la dégradation des milieux naturels, beaucoup de paysans n'en éprouvent pas moins une profonde rancœur vis-à-vis de leurs accusateurs. Elle est venue s'ajouter à d'autres vieux malentendus qui dressent les paysans contre les citadins et inversement.

L'affaire des pollutions est l'une des composantes de ce qu'on peut appeler désormais le *malaise paysan*.

Que voit-on ? Un groupe social à la dérive qui sent ses forces vives lui échapper sans pouvoir esquisser le moindre geste de défense, les solidarités paysannes traditionnelles qui s'effilochent sous les coups de boutoir de politiques libérales ; un milieu naturel qui perd peu à peu sa fonction utilitaire au profit de fonctions de loisirs, avec les redistributions politiques que cela suppose.

Et puis pour couronner le tout, des inégalités de plus en plus criantes au sein d'une paysannerie qui a pourtant été déjà bien écrémée. D'ores et déjà, 19 % d'agriculteurs (moins de 100 000) réaliseraient environ 50 % de la valeur de la production mise en marché, et un tiers d'entre eux (350 000), les trois quarts de cette valeur.

Dans ce contexte, les revenus agricoles « moyens » ne veulent plus rien dire. Pendant que certaines productions mènent peu à peu les agriculteurs à la faillite (en Loire-Atlantique, le revenu des éleveurs d'ovins est deux fois moins élevé en moyenne que celui des autres agriculteurs), d'autres connaissent des évolutions insolentes. Revenu en hausse de 68 % pour la viticulture de qualité, de 40 % pour l'élevage hors sol, de 16 % pour l'arboriculture.

Enfin sur le plan des politiques agricoles internationales au GATT et à la CEE, les dirigeants syndicaux affichent de plus en plus de mépris vis-à-vis d'hommes qui ne savent ou ne veulent pas tenir tête aux Américains. Ils ont la certitude qu'un abandon total par l'Europe des politiques de soutien des marchés aurait pour effet immédiat un nouvel et « *intolérable* » exode.

Complètement « *déstabilisé et désespéré* » par l'absence de perspectives, le milieu agricole pourrait tendre une oreille plus attentive aux thèses de Le Pen, préviennent à la fois Lacombe (FNSEA) et Mangin (CNJA).

C'est peut-être aller un peu vite. Pour l'instant, les sondages montrent sans ambiguïté que les agriculteurs mettraient assez volontiers les immigrés à la porte ; ils sont les plus nombreux à penser qu'il y a trop de vacances, et restent profondément enracinés dans la tradition, notamment religieuse.

En contrepoint, les politologues rappellent que Jacques Chirac continue à bénéficier d'une cote d'amour particulière et que, contrairement aux commerçants-artisans, les paysans ne sont pas sur-représentés dans l'électorat de Le Pen.

Les agriculteurs montrent également un attachement profond aux libertés individuelles, ce qui ne va pas forcément de pair avec les thèses d'extrême droite.

On ne peut pas nier toutefois que de nouvelles déceptions pourraient radicaliser un électorat qui a jusqu'à présent voté pour les droites démocratiques avec une grande stabilité.

Jacques Rouil, *Ouest-France*, 16-17 juin 1990.

révolutionnaire l'inquiétude et l'interrogation suscitées par le bouleversement d'un monde qui, jusque-là, changeait lentement, car elles sont aussi à l'origine de la naissance et du développement de la sociologie. Ainsi, dans *Gemeinschaft und Gesellschaft* (Communauté et Société), paru en 1887, Ferdinand Tönnies déplorait les ravages causés par l'excès de l'individualisme, « de la guerre illimitée, du pouvoir de tous de s'anéantir les uns les autres, de piller et de soumettre les autres ». Et il redoutait, dans une annexe ajoutée en 1926, que la société ne se retournât à nouveau vers la communauté pour essayer d'endiguer la vague individualiste et les formes d'exclusion qu'elle impliquait [37]. Durant la même période, Émile Durkheim analysait l'aliénation et l'anomie consécutives à la destruction des hiérarchies et de l'ordre social traditionnel. Cependant, là où les socialistes ont toujours pensé que la solidarité de classe et l'accès à une nouvelle forme d'intégration économique et sociale pourraient compenser la perte des valeurs culturelles auxquelles étaient attachées les populations déracinées, les plus déshérités se sont de préférence tournés « vers les liens traditionnels, plus anciens qui les unissaient : la langue et le sol, les souvenirs réels ou imaginaires, et vers les institutions et les chefs capables d'incarner, à leurs yeux, leur communauté, leur

---

37. Alain LAURENT, *L'Individu et ses Ennemis, op. cit.*

Gemeinschaft[38] ». Parmi ces souvenirs imaginaires, la référence à un paradis perdu, néo-médiéval, apparaît comme un archétype. Cette référence au Moyen Âge est ainsi permanente chez les fondateurs de la sociologie. L'effondrement de l'Ancien Régime, la révolution industrielle et démocratique avaient en effet sapé les bases de la société européenne traditionnelle dont les fondements étaient la parenté, la terre, la religion, la monarchie et l'appartenance à une communauté locale. Confrontée au déracinement de populations entières et à l'extrême dureté des conditions de vie des ouvriers, la réflexion sociologique eut la même tendance que la pensée conservatrice à valoriser le cadre du village, de la famille et de la corporation. Perplexes, voire horrifiés par l'aliénation et l'isolement des travailleurs modernes, conservateurs et sociologues furent souvent enclins à idéaliser la cité close médiévale, symbole de l'équilibre et de la permanence contre le désordre et le changement. Médiévisme et sociologie sont intimement liés, écrit Nisbet pour lequel la pensée sociale du XIXe siècle prend sa source dans la redécouverte du concept de communauté par la sociologie[39]. Raoul Girardet a lui aussi analysé la grande

38. Isaiah BERLIN, « Le nationalisme : dédains d'hier, puissance d'aujourd'hui », in *A contre-courant*, Albin Michel, Paris, 1988.

39. Pour les sociologues d'alors, la communauté englobe « tous les types de relations caractérisées à la fois par des liens affectifs étroits, profonds et durables, par un engagement de nature morale, par une adhésion commune à un groupe social ». Robert A. NISBET, *La Tradition sociologique*, PUF, Paris, 1984.

variété des sensibilités politiques qui, au nom d'exigences morales et de leur hostilité aux sociétés modernes, individualistes et utilitaristes, se sont référées à la communauté médiévale : traditionalisme romantique, conservatisme nostalgique de l'Ancien Régime, socialisme utopique, etc., jusqu'aux communautés post-soixante-huitardes, au mouvement écologiste et, pourrait-on ajouter, aux « communautés » du « nouvel âge »[40].

Cette permanence du rêve rural et médiéval pose d'autant plus question qu'il réapparaît aujourd'hui et cela bien qu'il ait été associé, surtout depuis la Seconde Guerre mondiale, à des idéologies irrationalistes, dangereuses et toujours potentiellement totalitaires. Devons-nous, pour autant, renoncer à nous interroger sur les questions que devrait nous poser pareille insistance, sur les aspirations qui s'y expriment et sur la nature du refuge qu'elles constituent, selon Girardet, pour les oubliés, pour tous ceux qui déplorent les « solidarités brisées », qui en appellent à la « générosité sociale », à « l'entraide collective » et à la « reconnaissance attentive d'une forme privilégiée de sociabilité[41] » ? Quelle était donc la signification, par exemple, de l'image produite par les res-

---

40. Ainsi, au château du Magnet, près de Châteauroux, une communauté fraîchement installée a-t-elle créé un musée de la « Mère universelle », un marché médiéval et une école de chevalerie. Habillés en costumes médiévaux, les habitants du lieu (un parc de 65 hectares) ont décidé de vivre comme au Moyen Âge dans le respect de l'esprit chevaleresque.

41. Raoul GIRARDET, *op. cit.*

ponsables de la campagne d'affiches de François Mitterrand lorsqu'ils le mettaient en scène, nouveau père (on a, depuis, préféré « tonton ») de la France unie, sur fond de campagne et de clocher ? N'était-ce pas cette « qualité d'harmonie collective qui est censée régner sous les toits de chaume et au pied des clochers[42] » ?

C'est également de vouloir revenir au Moyen Âge dont Giono, écrivant sa « Lettre aux paysans », dit que les politiques vont encore l'accuser[43]. C'est aussi au Moyen Âge qu'Alexis de Tocqueville se réfère pour fustiger ce qu'il appelle le despotisme démocratique : « Cette forme particulière de la tyrannie qu'on nomme despotisme démocratique, dont le Moyen Âge n'avait pas eu l'idée, leur est déjà familière. Plus de hiérarchie dans la société, plus de classes marquées, plus de rangs fixes ; un peuple composé d'individus presque semblables et entièrement égaux, cette masse confuse reconnue pour seul souverain légitime, mais soigneusement privée de toutes les facultés qui pourraient lui permettre de diriger et même de surveiller elle-même son gouvernement[44]. » Et, plus près de nous, Isaiah Berlin lui fait en quelque sorte écho dans l'inquiétude qu'il mani-

42. ID., *ibid.*

43. « Les politiques vont encore m'accuser de vouloir revenir au Moyen Âge... Il n'est pas question de Moyen Âge ici, il est question que de liberté. » Jean GIONO, « Lettre aux paysans sur la pauvreté et la paix », in *Écrits pacifistes*, Gallimard, Paris, 1978.

44. Alexis DE TOCQUEVILLE, *L'Ancien Régime et la Révolution*, Folio/Histoire, Paris, 1988.

feste de voir se déployer « la force explosive engendrée par la combinaison de blessures mentales non cicatrisées ». Pour lui, la responsabilité des violences qui pourraient se déchaîner ne saurait qu'incomber à ceux qui ont fabriqué ce « monde réunissant en son sein les hommes et la nature, conçu désormais comme un système mécanique, destiné à être manipulé, à des fins utilitaires, par des équipes d'experts de la rationalité[45] ».

On ne pourra ainsi, au terme de ce chapitre, que partager une partie décisive de l'analyse faite par Marcel Gauchet de la situation caractéristique des sociétés développées aujourd'hui. Il est palpable, tout d'abord, que l'on en attribue ou non la responsabilité à une carence de l'État, que ces sociétés n'assurent pas à tous leurs membres « l'assurance identitaire qu'exige le changement[46] ». On s'accordera également pour considérer que de là s'ouvre probablement la « brèche » autorisant « l'incroyable retour de l'extrême droite nationaliste ». De la même manière, enfin, nous souscrivons à l'idée selon laquelle il faudrait certainement se préoccuper davantage des « vices les

---

45. « Les colonisateurs rationnels et bien intentionnés, les technocrates, les spécialistes, les experts ont beau être guidés par des considérations altruistes et parfaitement honorables, il n'en reste pas moins qu'à leurs yeux, les hommes sont avant tout des objets hétéronomes, qu'il s'agit d'administrer, d'enrégimenter, de contrôler — non des agents libres, capables de se transformer eux-mêmes, et dont les décisions sont imprévisibles. » Isaiah BERLIN, *op. cit.*

46. Marcel GAUCHET, « Pacification démocratique, désertion civique », in *Le Débat, op. cit.*

plus criants » qui entachent la vie contemporaine que « de la haute théorie de la démocratie[47] ». En revanche, il nous semble essentiel d'interroger une proposition qui mérite discussion. Inscrites dans l'histoire, « les démocraties sont jeunes », écrit Marcel Gauchet. Et « leur particularité est d'exiger un haut degré de conscience pour bien fonctionner. Or, depuis le départ, leur drame a résidé dans le retard des mentalités et des modes de pensée sur les réalités de leur déploiement continué. Nous y voici à nouveau[48] ».

A l'expression « retard des mentalités », dont il est, par ailleurs, malaisé de savoir qui elle concerne (les paysans, les écologistes qualifiés de passéistes ?), nous préférons celle de « *non-contemporanéité* » à laquelle recourt le philosophe allemand Ernst Bloch[49]. Outre que, lorsque le changement et la mobilité sont promus comme valeurs suprêmes, de plus en plus de gens sont en retard, on peut aussi considérer que les sociétés duales dans lesquelles nous vivons engendrent, par les principes mêmes de leur fonctionnement, des individus et des groupes incapables de développer un haut niveau de conscience.

---

47. ID., *ibid.*
48. ID., *ibid.*
49. Ernst BLOCH, *Héritage de ce temps*, Payot, Paris, 1978.

La « non-contemporanéité » et le devoir de la rendre dialectique

Parmi les penseurs de la tradition marxiste qui ont accepté de s'interroger sur ce que les formes de nostalgie et de référence au passé tentaient d'exprimer, Ernst Bloch a écrit, durant les années trente, un ensemble de textes où il est abondamment question de la paysannerie, de la non-contemporanéité et du devoir de la rendre dialectique. Dans cette série d'articles dont le caractère prémonitoire est étonnant, Bloch s'attache à essayer de comprendre ce qui, dans l'Allemagne prénazie, n'était pas réductible, dans certaines de ses manifestations, à la vulgarité, à la bêtise et à la barbarie. Dans les couches sociales désorientées, déracinées, écrit-il, on trouve effectivement des aspirations liées à l'ancienne opposition romantique au capitalisme, une conscience et une nostalgie d'une vie obscurément autre et, chez les paysans et les employés, une sorte de non-contemporanéité authentique, c'est-à-dire « un résidu idéologique et économique d'époques plus anciennes », un désir, en période de crise profonde, de retourner dans l'ancien temps. Ce qui, selon lui, prédispose plus que d'autres les paysans à rêver de temps anciens, c'est leur enracinement, le fait qu'ils vivent encore, dans l'Allemagne des années trente, exactement comme leurs aïeux, défendant farouchement leur « situation économique vieillie ». Plus difficiles à chasser par la machine que les artisans, les paysans conservent le sentiment de représenter un « état » encore uni et de jouir d'une indépendance que leur garantit la propriété de leurs biens. Un autre de leurs traits non contemporains tient à leur enracinement, à leur passion pour la terre qu'ils travaillent, à leur « attachement au sol ancien et au cycle des saisons ». Pour Bloch, ces traits non contemporains les incitent d'autant plus à s'allier à la réaction, en période de crise, qu'ils ne sont pas « éclairés », que leur individualisme, leur attachement à la propriété comme instrument de liberté, les rattachent à des époques précapitalistes. C'est pour ces raisons qu'ils sont le plus en porte-à-faux dans la modernité, intempestifs ou « arriérés » selon Max Weber, d'un point de vue capitaliste[50]. Le plus souvent, note Bloch, mais ils ne sont pas les seuls, ils se bornent à s'opposer pacifiquement à une histoire dont ils ont le sentiment qu'elle les abandonne, exprimant « leur morne refus du présent » de manière à la fois subjectivement non contemporaine (par l'aigreur et la colère rentrée) et objectivement non contemporaine (par leur volonté de maintenir des formes et des rapports de production précapitalistes). En période de crise, comme ces paysans déracinés de fraîche date que sont les employés et les petits-bourgeois des villes, ils sont

50. Max WEBER, *L'Éthique protestante et l'esprit du capitalisme*, Plon, Agora, Paris, 1985.

plus que d'autres amenés à évoquer l'ancienne société et cela de manière d'autant plus idéalisée qu'elle leur apparaît alors susceptible de satisfaire leurs aspirations toujours frustrées. Il suffira que la crise s'approfondisse pour que s'exacerbe chez eux « l'ensauvagement et le souvenir anachronique », pour que la misère et l'exclusion cristallisent leurs composantes non contemporaines et qu'elles activent leurs vieilles pulsions archaïques. Ce qu'ils exprimeront alors, ce sera leur haine de la raison qu'ils confondront avec la rationalisation, l'idéologie du capitalisme qu'ils rendront responsable de la destruction de leurs valeurs et de leur mode de vie [51].

Pour Ernst Bloch, les contradictions non contemporaines s'expriment à la périphérie du capitalisme, tandis que les contradictions contemporaines se développent, elles, en son sein même. Ainsi, alors que le destin de ceux qui continuent à vivre dans la non-contemporanéité se joue toujours dans une relation mystifiée à un passé non dépassé, les individus inscrits dans la contemporanéité perçoivent leur avenir comme entravé. Pour Bloch, évidemment, l'exemple même du groupe vivant un avenir entravé dans la contemporanéité est constitué par le prolétariat industriel et urbain. On pourrait ainsi penser que, dans leur lutte pour échapper à leur réification et à leur aliénation, les prolétaires ne se référeraient ni à des

51. Enrst BLOCH, *Héritage de ce temps, op. cit.*

éléments ni à des figures du passé. Or il n'en est rien car, explique Bloch, cette lutte pour l'émancipation, surtout en période de crise, fait aussi appel à des contenus et à des valeurs que la contradiction non contemporaine cherche à retrouver dans le passé, dans l'aspiration à une existence autre tout en s'insurgeant de manière « *universelle*[52] » contre la « *lacération de la vie* ». Plus fondamentalement, le sens de cette révolte ne s'épuise pas dans sa seule opposition au capitalisme; il exprime aussi « des contenus intentionnels d'une espèce qui reste toujours non contemporaine », subversive et utopique, car elle n'a jamais été satisfaite. Pour Bloch, l'universalité de ces aspirations est perceptible historiquement et en font par exemple partie la nature arcadienne de Rousseau et le Moyen Âge du romantisme, parmi d'autres évocations qui nourrissent de façon non contemporaine « la fureur de l'ensauvagement » et de l'« attachement à l'espace » : « Le fondement de la contradiction non contemporaine est le conte irréalisé du bon vieux temps, le mythe resté sans solution du vieil être obscur de la nature. *Ici, par moments, se trouve un passé qui n'est pas seulement un passé non dépassé du point de vue des classes, mais matériellement aussi, un passé qui n'a pas encore été tout à fait honoré*[53]. » Et nous en arrivons à l'essentiel, qui

52. C'est nous qui soulignons.
53. Enrst BLOCH, *Héritage de ce temps, op. cit.* C'est nous qui soulignons.

travaille à l'évidence plusieurs composantes de la nébuleuse écologique et qui est que, jusqu'à aujourd'hui, il n'a quasiment jamais été possible de comprendre et de prendre en charge le caractère positif des aspirations qui s'expriment de manière non contemporaine pour les rendre contemporaines. Ce qu'on sait, en revanche, c'est que la matière refoulée de ces aspirations a toujours été exploitée par le fascisme, le pétainisme, le nazisme et, plus généralement, par les nationalismes. D'où la question fondamentale, formulée de manière tout à fait explicite par Bloch et reprise aujourd'hui au moins par les Verts, les membres du syndicat agricole, la Confédération paysanne et une large fraction du mouvement associatif préoccupé par le devenir du monde rural et des pays du tiers monde : *Comment faire du sol, de l'attachement à la terre et du désir d'enracinement des éléments contemporains ?* Prise dans le gigantesque mouvement d'arrachement à la terre considéré depuis la révolution industrielle comme seul porteur de progrès, de liberté et de consolidation des valeurs démocratiques, cette aspiration n'a jamais été satisfaite et demeure, lorsqu'elle n'est pas exploitée par les extrémismes de droite, prise, comme l'écrit Bloch, dans un imaginaire lié à son fondement millénariste. Ce dernier, fondé sur la mystification d'un passé idéal en même temps que jamais advenu, d'un âge d'or, fait de la Terre un paradis. Les évocations qui lui donnent corps mettent presque toujours en scène la société médiévale, les biens communaux, une très hypothétique et idéale liberté de chasse, de pêche et de cueillette cristallisant un phantasme d'autosuffisance et d'autonomie. Ces aspirations sont effectivement archétypiques. Mais, pour ne les considérer que comme de piètres utopies bucoliques, il faut ne pas prêter attention à la nostalgie que manifestent plus que d'autres les déchus, les exclus, tous ceux que la modernité met progressivement et de plus en plus silencieusement à l'écart. Et il serait probablement humain, au nom, par exemple, des droits de l'homme et du citoyen, de ne pas traiter avec légèreté ce que ces individus ont le sentiment d'avoir perdu : une innocence originelle, un rapport d'autant plus fusionnel à la nature qu'ils s'en sont éloignés et, surtout, leur liberté et leur dignité.

Peut-être était-ce à cela que réfléchissait Jean-Marie Tjibaou lors d'une conférence qu'il prononça à Genève en 1981. Comment s'orienter, se demandait-il, comment donner un sens à la vie dans un monde où l'enracinement dans un sol, une mémoire et une communauté est perdu ? Le terroir est très important, disait-il, parce qu'il constitue les archives d'un groupe, il les renferme[54]. Achevant sa conférence, il posa la ques-

54. « Nous n'avons plus le temps de nous chercher une identité dans les archives, dans une mémoire, ni dans un projet ou un avenir. Il nous faut une mémoire instantanée, un branchement immédiat, une sorte d'identité publicitaire qui puisse se vérifier dans l'instant même. » Jean BAUDRILLARD, *La Transparence du mal*. *op. cit.*

tion suivante : « Doit-on vous suivre ? Parce que cela va de plus en plus vite et, avant, on pouvait deviner où vous vouliez aller ; maintenant, on voit que vous avez été dans la Lune, que vous n'êtes pas satisfaits, et on cherche... Et comme c'est difficile de suivre quelqu'un qui cherche sa route, il y a une espèce de retour à l'enracinement. Et cela je pense que ce n'est pas un phénomène mélanésien, c'est mondial. » « Que faire, en effet, et comment faire, lorsque l'on cherche quelque chose que l'on ne connaît pas, disait-il, sinon se retourner vers une sorte d'environnement, de culture où puissent se reformer des groupes, des associations qui permettraient de se retrouver entre humains [55] ? »

---

55. Jean-Marie TJIBAOU, « Être mélanésien aujourd'hui », in *Paysans*, 1986.

Conclusion

Nous avons, tout au long de cet ouvrage, essayé de caractériser les différentes composantes de la nébuleuse écologique et de mettre en évidence la richesse des aspirations qui y cohabitent et, souvent, s'y affrontent. Renaturation de l'homme, conscience planétaire, recours à la nature, etc., sont autant de thèmes qui nourrissent un écologisme dont le caractère attrape-tout ne cesse pas d'étonner. Qu'y a-t-il de commun, en effet, entre un écologiste adepte des thèses intégristes de Mgr Lefebvre, un ancien militant du PSU qui construit sa maison solaire et un directeur de programme de contrôle écologique de la planète ? Certes, on pourra les retrouver côte à côte lors d'une manifestation contre le tracé d'une autoroute ou un projet de barrage. Mais le premier y aura le sentiment de participer à la sauvegarde de valeurs traditionnelles que l'on n'aurait jamais dû abandonner, le second à l'approfondissement de la vie démocratique par le renforcement du pouvoir associatif et le troisième à l'élaboration d'une économie post-industrielle, respectueuse de l'environnement.

Ainsi, alors que se dessine un consensus tendant à faire de la nature le « patrimoine commun » de l'humanité et qu'augmente, parallèlement, le nombre de ceux qui partagent l'idée selon laquelle notre rapport à la nature a atteint certaines limites, un désaccord profond subsiste quant aux valeurs à défendre et aux mesures à prendre. En témoigne le fait que, pour de nombreux observateurs, passéisme et futurisme s'enchevêtrent ou s'opposent dans la conscience écologique pour alimenter, au nom de la défense de la nature, deux mythologies contradictoires. D'un côté, on tendrait à préserver une nature d'autant plus sacralisée que la nostalgie fait rarement bon ménage avec la raison. De l'autre, on se bornerait à développer une conception gestionnaire des écosystèmes qui prendrait appui sur un surcroît de science et de technologie.

Quoi qu'il en soit, on peut affirmer que c'est dans un contexte de peur diffuse et de crise profonde que se développe la sensibilité écologique. Si d'aucuns considèrent, à l'instar de Jean-Marie Tjibaou, que le mouvement d'arrachement à la terre et à la planète a atteint ses limites, c'est parce qu'ils n'en perçoivent plus ni le sens ni les finalités. Si d'autres, même depuis l'espace, élaborent de multiples dispositifs de surveillance de la Terre, c'est que l'infini s'est singulièrement rétréci du côté des moyens et des ressources. Du fond des océans à la Lune, tout a été, rappelle Martine Rèmond-Gouilloud, visité, mesuré, exploité : « Un constat s'impose donc : la Terre est finie et ses ressources ne sont pas illimitées. Il ne saurait être question de ressources nouvelles mais seulement de formes nouvelles d'exploitation des ressources[1]. » Enfin, d'autres types de limites sont apparues avec les diverses manifestations de contestation écologique et l'élaboration progressive d'un droit de l'environnement. Quelque insuffisant que soit encore ce dernier, il semble bien que le temps où les industriels pouvaient faire n'importe quoi soit révolu. Au moment donc où l'humanité se voit contrainte d'opérer un retour plus ou moins forcé à la terre, l'écologie pourrait devenir, selon l'expression de Georges Balandier, « science du temps ». A condition, ajouterons-nous, que n'ayant pas à leur tour trop les pieds sur terre, ou les yeux excessivement tournés vers le ciel, les écologistes parviennent à lever les ambiguïtés qui sont inscrites au cœur même de leur mouvement.

Nous ne sommes pas d'ailleurs, loin de là, les seuls à le penser, et nous n'en prendrons ici que deux exemples. « Les métaphores qui projettent l'ordre social dans la nature [...], écrit Augustin

1. Martine RÈMOND-GOUILLOUD, *Du droit de détruire, op. cit.*

Berque, relèvent de mécanismes foncièrement analogues et il est bon de les connaître ; ne serait-ce que pour se prémunir contre les régressions du genre *Blut und Boden* qui [...] couvent au fond de tout écologisme. Le pétainisme par exemple, Vert avant la lettre, affectionnait la nature[2]. » « L'irruption à une échelle de masse de l'écologie, écrit de son côté Éric Braine, rend plus nécessaires et plus urgentes les questions à lui adresser. Quel est ce paradigme qui englobe tout ? [...] L'usage répété de modèles biologiques n'ouvre-t-il pas la voie à de nouveaux réductionnismes ? Comment ce mouvement urbain prend-il en compte l'artificiel, le symbolique ; qu'a-t-il à dire de la technonature[3] ? »

Il est clair, en effet, qu'une majorité d'individus, même parmi ceux qui manifestent des réserves à l'égard des sociétés contemporaines, défend avec la plus grande vigueur leur caractère démocratique et rechigne à accorder des vertus comparables à ce qui, dans la conscience écologique, relève selon eux d'une idéologie douteuse, que celle-ci soit du côté de l'antimodernisme ou de l'hypermodernisme. Toutefois, parce que l'idée du progrès par la science est très prégnante, les enjeux cruciaux des dernières découvertes scientifiques dans le domaine du vivant demeurent mal

2. Augustin BERQUE, « Le paysage à réinventer », in *Le Débat, op. cit.*, p. 318.
3. Éric BRAINE, « Changer d'utopie », in *Terminal*, n° 44, mai-juin 1989, p. 3.

perçus de l'opinion publique. Rares sont ceux qui, par exemple, rejoignent l'idée de Jacques Attali selon laquelle, dans le domaine génétique, on passera inévitablement de « la guérison du pathologique à la modification du normal[4] ». Aussi, et peut-être est-ce là le fruit de notre histoire nationale, les critiques adressées à l'écologie portent-elles en France davantage sur son antimodernisme, sur le caractère trouble de sa volonté de conserver la nature.

On ne peut ici que se référer à Karl Popper qui, dans *La Société ouverte et ses ennemis*, a stigmatisé les mouvements réactionnaires mal remis de la disparition des sociétés closes. Quasi incapables d'intégrer les valeurs de la société démocratique que sont l'humanisme, la rationalité, l'égalité et la liberté, mais aussi la rivalité et la compétition, certains persévèrent, selon Popper, dans l'évocation nostalgique et régressive de groupes cimentés par les rapports de parenté et une vie communautaire. Certes, écrit Popper, la société ouverte n'est pas sans danger : en perdant son caractère organique, en devenant de plus en plus abstraite, elle peut finir par ne plus former qu'un véritable rassemblement hétéroclite d'individus. Elle se dépersonnalise. Les relations de face à face tendent à s'étioler, on s'ignore, on vit dans l'anonymat, le repli, voire la solitude. Dans le même temps, les tensions augmentent et peuvent conduire les plus

4. Jacques ATTALI, *Lignes d'horizon, op. cit.*, p. 177.

fragiles et les plus délaissés à rêver de retourner à leur enfance, à la société close. « Si nous refusons d'assumer le fardeau de l'humanité et de la raison [...], que du moins l'issue soit claire : il n'y aura jamais de retour harmonieux à l'état de nature et revenir en arrière serait refaire tout un chemin qui nous ramènerait à l'animalité[5]. »

Les choses sont-elles aussi simples et devons-nous, *en raison*, souscrire aux oppositions entre société close et société ouverte, tribalisme (totalitarisme) et démocratie, rural et urbain, sous-développement et développement, obscurantisme et Lumières ? Ne peut-on pas imaginer, pour être à la hauteur des multiples problèmes qui se posent désormais à l'échelle de la planète, qu'une réflexion critique qui dépasserait ces oppositions, puisse progressivement prendre forme ? N'est-il pas urgent, pour reprendre la formulation d'Ernst Bloch, de faire du sol et de l'attachement à la terre des éléments contemporains, des fondements de la liberté et du besoin d'appartenance en même temps que des vecteurs d'une sensibilité et d'une conscience universaliste ? Pour y parvenir, il faudrait sans doute repenser les apports de l'écologie politique et prendre pour perspective la notion d'optimum vital dont nous avons dessiné les contours au chapitre 5. Cet optimum vital serait, notamment, fondé sur la recherche d'une redistri-

5. Karl POPPER, *La Société ouverte et ses ennemis*, t. I : *L'Ascendant de Platon*, Le Seuil, Paris, 1979.

bution mondiale des richesses et du travail, l'expansion des activités autonomes et non marchandes, l'intervention directe des citoyens dans les affaires de la cité et une conception usufruitière de l'action de l'homme sur la nature. Il devrait, croyons-nous, permettre d'échapper à la fois aux tentations d'un néo-communautarisme traditionaliste, y compris dans sa forme nationaliste et xénophobe, et à l'anomie de sociétés industrielles ou post-industrielles dont le caractère formellement démocratique s'accroît en même temps que leur dualisation effective.

C'est dans cette perspective que s'inscrit un nombre non négligeable d'écologistes et de non-écologistes. Malheureusement, leurs réflexions et leurs propositions ne rencontrent encore que peu d'échos, comparées aux sirènes de l'anti et de l'hypermodernisme écologiques. Il serait pourtant souhaitable, comme l'explique par exemple Éric Braine, que l'écologie contribue « à ouvrir la perspective d'une post-science relativiste, plurielle, consciente de ses limites, ouverte sur une dimension éthique ; à défaire l'alliance positiviste qui unit raison-science-démocratie-Occident ; à développer des technologies soucieuses de leurs interfaces, à l'échelle humaine et dont on n'aurait plus à déplorer les dégâts[6] ». En s'engageant dans cette voie, prolongement concret et contemporain de l'idéal humaniste des Lumières, l'écologie

6. Éric BRAINE, « Changer d'utopie », art. cité.

pourrait peut-être parvenir à conjuguer l'historicité des sociétés modernes et la préoccupation d'y maintenir des équilibres naturels et sociaux. Elle participerait à la réactivation des projets d'ordre collectif dans des démocraties occidentales frappées par la désertion civique. Enfin, elle concourrait à accorder le mouvement de la connaissance au sentiment de la nature et aux passions humaines et contribuerait, en dépassant le dilemme de l'harmonie ou de l'apocalypse, à penser ensemble le respect de la nature et l'artifice humain.

Si cette voie restait insuffisamment explorée, il y a fort à parier que, tout en conservant à la fois son caractère nébuleux et sa vitalité, l'écologie sera de plus en plus écartelée entre l'attirance passéiste pour les sociétés de corps pré-industrielles et le vertige futuriste d'une planète enfin advenue à l'ère post-industrielle. Elle fera ainsi, et de plus en plus, l'objet de critiques diamétralement opposées. D'un côté, les voyageurs invétérés du néo-capitalisme et les théoriciens de la démocratie réconciliés avec le marché dénonceront avec une vigueur accrue ses pulsions nostalgiques et totalitaires. De l'autre, elle sera de plus en plus stigmatisée pour la facilité avec laquelle elle se sera fait « récupérer » et sera devenue un appendice de l'utilitarisme économique susceptible de contribuer à une gestion plus efficace des ressources naturelles et humaines. Il n'est pas besoin d'être prophète pour prévoir que pendant ce temps l'humanité progressera vers la « société à haut risque technologique et social ». C'est d'ailleurs ce que nous donnait à entendre Hans Jonas lorsqu'il écrivait : « Pas plus que l'espérance, la peur ne doit inciter à remettre à plus tard la véritable fin — la prospérité de l'homme sans diminution de son humanité — et, en attendant, à détruire cette même fin par les moyens[7]. »

7. Hans JONAS, *Le Principe responsabilité. Une éthique pour la civilisation technologique*, Éd. du Cerf, Paris, 1990.

Index

Table

Composition Facompo, Lisieux (Calvados)
Achevé d'imprimer en janvier 1991
sur les presses de la SEPC, Saint-Amand (Cher)
Dépôt légal : janvier 1991.
Numéro d'imprimeur : 217.
Premier tirage : 4 000 exemplaires.
ISBN 2-7071-2000-6